L'Enfant
en soi

Charles L. WHITFIELD, M.D.

L'Enfant
en soi

*Découvrir et rétablir
notre Enfant intérieur*

Traduit par Renée Thivierge

SCIENCES ET *CULTURE*
MONTRÉAL

L'édition originale de cet ouvrage a été publiée sous le titre :
HEALING THE CHILD WITHIN
© 1987 Charles L. Whitfield
Publié par : Health Communications, Inc.
3201 Southwest 15th Street
Deerfield Beach, FL 33442
ISBN : 0-932194-40-0

Réalisation de la couverture : Alexandre Béliveau
Illustration de la couverture : Danièle De Blois

Tous droits réservés
© 2002, Éditions Sciences et Culture

Dépôt légal : 4e trimestre 2002
Bibliothèque nationale du Québec
Bibliothèque nationale du Canada

ISBN : 2-89092-298-7

 Éditions Sciences et Culture
5090, rue de Bellechasse
Montréal (Québec) Canada H1T 2A2
Tél.: (514) 253-0403 - Téléc.: (514) 256-5078

Internet : www.sciences-culture.qc.ca
Courriel : admin@sciences-culture.qc.ca

Nous reconnaissons l'aide financière du gouvernement du Canada par l'entremise du Programme d'Aide au Développement de l'Industrie de l'Édition pour nos activités d'édition.

IMPRIMÉ AU CANADA

À propos de l'auteur

Charles L. Whitfield est spécialisé dans l'aide aux personnes alcooliques et dépendantes de substances chimiques, et dans l'aide aux enfants-adultes issus de familles perturbées ou dysfonctionnelles. Il poursuit également son propre travail de reconstruction intérieure afin de rétablir son Enfant intérieur.

Le Dr Whitfield pratique dans un bureau privé à Atlanta et est l'un des membres fondateurs de l'Association nationale des enfants d'alcooliques. Il siège à la faculté de la Rutgers Summer School of Advanced Alcohol Studies. Auteur de plusieurs livres, il a également donné des conférences et anime des ateliers à travers les États-Unis.

Note de Éditions Sciences et Culture

La recouvrance

Nous avons traduit par « recouvrance » le mot américain *recovery*. Il nous est apparu nécessaire de le définir pour ceux qui ne sont pas familiers avec les divers programmes Douze Étapes dans les groupes de soutien.

Dans les livres américains, on rencontre fréquemment l'expression « la recouvrance est un processus » (*recovery is a process*). Des ouvrages sur ce sujet nous ont permis de préciser tout le champ notionnel du mot « recouvrance ».

La recouvrance est un lent et graduel processus de prise de conscience, d'acceptation et de changement qui amène une personne à rétablir sa santé physique, à équilibrer sa vie émotionnelle, à réhabiliter son état mental et à reconnaître l'existence d'un pouvoir spirituel.

L'individu, en se joignant à un groupe de soutien, adopte progressivement les principes d'un Programme Douze Étapes pour restaurer sa dignité humaine et redevenir un être humain entier.

Remerciements

Je souhaite remercier les personnes suivantes qui ont lu l'ébauche de mon manuscrit et m'ont présenté des critiques constructives : Herb Gravitz, Julie Bowden, Vicki Mermelstein, Rebecca Peres, Jerry Hunt, John Femino, Jeanne Harper, Barbara Ensor, Lucy Robe, John Davis, Doug Hedrick, Mary Jackson, Barry Tuchfeld, Bob Subby, et Anne Wilson Schaef.

J'offre également ma reconnaissance aux personnes suivantes qui m'ont accordé la permission de reproduire leurs écrits : « *Autobiography in Five Short Chapters* de Portia Nelson.* » © Portia Nelson, 1980, réimpression *The Popular Library Edition* « There's a Hole in my Sidewalk, » © 1977, permission en instance, Arthur Deikman (*The Observing Self*, copyright 1972, Beacon Press, Boston), Alice Miller (*Thou Shalt Not Be Aware*, copyright Alice Miller, paru chez Farrar Straus Giroux, New York), Bruce Fischer (pour son illustration du cycle de la honte et du comportement dépendant, © Bruce Fischer 1986), l'Association psychiatrique américaine (*Severity Rating of Psychosocial Stressors,* à partir du DSM-III, © 1980), Al-Anon (pour le questionnaire destiné aux familles des enfants-adultes de parents alcooliques, Madison Square Station, New York, 1985), Charles C. Finn (pour le poème intitulé : *Please Hear What I'm not*

*Ce livre est dédié
à l'Enfant en soi
à l'intérieur
de chacun de nous*

Table des matières

Liste des tableaux
et des schémas

SCHÉMAS

Préface
à l'édition française

Éprouvez-vous de la difficulté à nouer des relations personnelles? Avez-vous du mal à définir vos sentiments et à les maîtriser? Vous laissez-vous maltraiter parfois sans savoir comment réagir? Voilà autant de questions qui vous aideront à mieux vous connaître et à vous identifier à titre d'enfant-adulte issu d'une famille dysfonctionnelle.

Nourrir de telles préoccupations ne signifie pas que nous soyons méchant, malade, fou ou stupide; cela révèle plutôt que n'avons pas grandi au sein d'une famille qui veillait à combler nos besoins personnels, et que cette situation nous a *blessé*. Envisager cette possibilité et laisser émerger cette connaissance peut mener au soulagement de notre douleur et de nos souffrances inutiles.

Depuis le début des années quatre-vingt, un grand nombre de personnes se sont éveillées à ce type d'expérience; plusieurs d'entre elles commencent à se remettre de leurs souffrances intérieures. Ce phénomène dit « de recouvrance intérieure » découle d'un nouveau paradigme, d'une nouvelle compréhension approfondie de la condition humaine et des remèdes qui l'apaisent. Cette démarche très efficace s'est distinguée pour deux raisons : elle insuffle de l'énergie chez ceux qui l'expérimentent, et elle se fonde sur les connaissances les plus rigoureuses et les mieux adaptées sur la condition humaine. Toutefois, dans cet ouvrage, ces connaissances sont démystifiées et simplifiées afin de les rendre plus accessibles.

Je suis très heureux que ce livre soit à présent publié en langue française. Je l'ai écrit lorsque je me suis rendu compte que le terme « Enfant en soi » n'était pas qu'une simple métaphore désignant le Moi véritable. C'est le Moi véritable, l'être que nous sommes réellement. Depuis, on estime à plusieurs millions le nombre de personnes qui ont entrepris leur recouvrance intérieure au moyen de cette démarche; plus d'un million d'exemplaires de ce livre ont été vendus en Amérique du Nord.

La condition humaine nous place sur une trajectoire qui soulève en nous plusieurs questions : « Qui suis-je? », « Qu'est-ce que je fais? », « Où vais-je? », « Comment atteindre la sérénité? » La réponse à ces questions relève bien sûr des mystères divins, mais la démarche salutaire élaborée dans cet ouvrage en a aidé plus d'un. Lorsque j'ai commencé à formuler des réponses à ces questions, j'ai cru utile de tracer une carte de la psyché. Cette carte ne couvre pas tout le champ de la psyché, mais elle peut nous être utile.

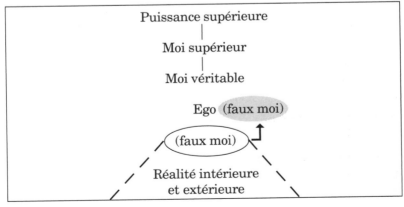

D'autres noms sont donnés au Moi véritable, c'est-à-dire à l'être que je suis vraiment : le *Moi réel* ou *existentiel*, le *cœur humain*, l'*âme* et l'*Enfant en soi*. Ces termes désignent la même réalité, soit l'identité réelle d'un être. Je suis également porteur d'une nature divine qu'on appelle parfois *ange gardien*, *Atman*, « noble octuple sentier de Bouddha », *Moi supérieur* ou simplement *Soi*. Le Moi véritable et le Moi supérieur sont étroitement liés à la Puissance supérieure présente en nous, au Dieu qui règne sur tout et dont une parcelle éclaire chacun d'entre nous.

Cette relation avec le Moi véritable, le Moi supérieur et la Puissance supérieure est si importante que, selon moi, les trois ne forment qu'une même personne : l'*Être sacré*. Participant au grand mystère, le Moi véritable se crée un adjoint qui l'assiste dans l'expérience humaine. Cet adjoint, ce compagnon d'aventures, n'est autre que l'ego, également connu sous l'appellation de « faux moi » ou « moi codépendant ». Lorsque cet ego nous vient en aide, par exemple pour filtrer, trier et traiter différents aspects de la réalité intérieure et extérieure, nous disons qu'il s'agit d'un *ego positif*. Cependant, lorsqu'il tente de nous dominer et de diriger nos vies, il devient un *ego négatif*.

Cette carte de la psyché est plus détaillée que celles de Freud, de Jung et de leurs confrères du début du siècle, car alors le terme « ego » désignait autant le Moi véritable que le faux moi. Depuis les années trente, la différenciation s'est précisée entre le Moi véritable et le faux moi, de sorte qu'aujourd'hui le terme « ego » est synonyme du second.

On peut lire dans l'introduction du livre intitulé *A Course in Miracles* :

« Ce qui est réel ne peut être menacé
Ce qui est irréel n'existe pas
En cela réside la paix divine. »

Ce qui est réel c'est Dieu, et son monde est celui de l'Être sacré. L'ego et son monde ne sont pas réels et, en conséquence, n'existent pas dans le grand projet divin. Lorsque nous parvenons à cette différenciation, nous atteignons la paix intérieure, la sérénité.

L'enfance et l'adolescence passées au sein d'une famille et d'une société dysfonctionnelles peuvent nous avoir infligé quelques blessures profondes. Ces blessures ont forcé notre Enfant intérieur (notre Moi véritable) à se retirer, de sorte que seul l'ego a été laissé aux commandes. Étant donné que ce dernier ne possède pas les compétences nécessaires pour diriger notre existence, nous ressentons de la tristesse et de la confusion.

Nous sortirons de ce cycle d'abord en différenciant le Moi véritable du faux moi, puis en guérissant les blessures que nous ont values les circonstances entourant les peines et la confusion initiales. Ce processus fait l'objet du présent ouvrage, ainsi que celui des livres à paraître subséquemment en français et intitulés : A Gift to Myself et Boundaries and Relationships.

L'ensemble de ces renseignements sont certes utiles sur le plan cognitif, mais il est nécessaire de les transposer sur le plan de l'expérience si nous voulons nous rétablir. Pour prendre du mieux, il est important de nous confronter consciemment à notre douleur, de l'assumer jusqu'au bout, pour ensuite aimer et apprécier la vie. Je souhaite que cette nouvelle édition vous soit utile, et qu'elle apporte quelques réponses à ces questions.

Charles L. Whitfield,
Baltimore, 1993

Chapitre 1

À la découverte de l'Enfant en soi

Introduction

Le concept de l'« Enfant en soi » fait partie de notre culture depuis au moins deux mille ans. Carl Jung parlait de l'« Enfant divin », et Emmet Fox le nommait « Enfant prodige ». Pour leur part, les psychothérapeutes Alice Miller et Donald Winnicott font référence au « Moi véritable ». Rokelle Lerner et d'autres chercheurs dans le domaine de la dépendance aux substances chimiques parlent de l'« Enfant intérieur ».

L'expression « Enfant en soi » désigne cette entité vivante, énergique, créatrice et comblée qui vibre en chacun de nous : c'est-à-dire notre Moi véritable, celui ou celle que nous sommes vraiment.

L'apport inconscient de nos parents et de la société incite la plupart d'entre nous à nier l'existence de cet Enfant intérieur. Lorsque celui-ci ne reçoit pas de soins suffisants et qu'il ne peut s'exprimer librement, un faux moi (un moi codépendant) apparaît. Nous devenons alors des victimes et nous surmontons difficilement nos chocs émotifs. L'accumulation graduelle d'expériences mentales et émotionnelles inachevées peut se transformer en anxiété, en peur, en confusion, en sentiment de vide et en malheur chronique.

Le déni de l'Enfant en soi et l'émergence subséquente d'un moi codépendant sont particulièrement répandus chez les enfants et les adultes qui ont grandi au sein de familles perturbées. La maladie mentale ou physique, la rigidité, l'indifférence affective et le manque de soins y sont fréquents.

Il y a pourtant un moyen de s'en sortir. Il existe une méthode qui permet de découvrir et de rétablir son Enfant intérieur, et de se libérer de la souffrance et de la servitude causées par le faux moi (le moi codépendant). Voilà ce dont il sera question dans cet ouvrage.

Ce livre peut-il m'être de quelque secours?

Les enfants ne sont pas tous victimes de mauvais traitements, et on ignore combien de personnes ont été comblées par un environnement sain et chaleureux durant leur enfance. J'estime qu'entre cinq et vingt pour cent d'entre nous ont eu cette chance. Cela signifie qu'entre quatre-vingts et quatre-vingt-quinze pour cent des gens ont été privés de l'amour et des soins indispensables à l'établissement de relations saines et durables, et à une perception positive de soi.

Bien sûr, il n'est pas facile de déterminer vos tendances à établir des relations plus ou moins saines face à vous-même ou à autrui, mais les questions suivantes peuvent vous aider à le faire. Ce questionnaire porte sur notre potentiel de recouvrance intérieure, et met en lumière non seulement nos souffrances, mais aussi notre capacité de les surmonter pour nous réaliser dans une vie pleine de dynamisme, d'aventure et de satisfactions.

Questionnaire sur le potentiel de recouvrance

Encerclez ou cochez la réponse qui correspond le mieux à ce que vous ressentez *vraiment*.

1. Recherchez-vous l'approbation de votre entourage?

Jamais   Rarement   Quelquefois   Souvent   Habituellement

2. Avez-vous du mal à reconnaître vos réalisations?

Jamais   Rarement   Quelquefois   Souvent   Habituellement

3. Craignez-vous la critique?

Jamais   Rarement   Quelquefois   Souvent   Habituellement

4. Êtes-vous enclin au surmenage?

Jamais   Rarement   Quelquefois   Souvent   Habituellement

5. Votre comportement compulsif vous a-t-il déjà causé des ennuis?

Jamais   Rarement   Quelquefois   Souvent   Habituellement

6. Êtes-vous perfectionniste?

Jamais   Rarement   Quelquefois   Souvent   Habituellement

7. Êtes-vous mal à l'aise lorsque tout va bien? Êtes-vous enclin à prévoir continuellement des ennuis?

Jamais   Rarement   Quelquefois   Souvent   Habituellement

8. Vous sentez-vous plus en forme en période de crise?

Jamais   Rarement   Quelquefois   Souvent   Habituellement

9. Vous est-il plus facile de vous occuper des autres que de prendre soin de vous-même?

Jamais   Rarement   Quelquefois   Souvent   Habituellement

10. Avez-vous tendance à vous isoler?

Jamais   Rarement   Quelquefois   Souvent   Habituellement

11. Les personnes autoritaires ou agressives vous causent-elles de l'anxiété?

Jamais   Rarement   Quelquefois   Souvent   Habituellement

12. Estimez-vous que votre entourage ou la société dans son ensemble profitent de vous?

Jamais   Rarement   Quelquefois   Souvent   Habituellement

13. Les relations intimes vous causent-elles des problèmes?

Jamais   Rarement   Quelquefois   Souvent   Habituellement

14. Avez-vous tendance à rechercher la compagnie de personnes compulsives?

Jamais   Rarement   Quelquefois   Souvent   Habituellement

15. Entretenez-vous certaines relations par crainte de la solitude?

Jamais   Rarement   Quelquefois   Souvent   Habituellement

16. Doutez-vous souvent de vos sentiments et de ceux des autres?

Jamais   Rarement   Quelquefois   Souvent   Habituellement

17. Avez-vous de la difficulté à exprimer vos émotions?

Jamais   Rarement   Quelquefois   Souvent   Habituellement

Si vous avez répondu « quelquefois », « souvent » ou « habituellement », et ce, quelle que soit la question, il vous sera utile de poursuivre cette lecture. (Ces questions ont été reprises et modifiées à partir du questionnaire de Al-Anon Family Group, 1984, avec la permission de cet organisme.)

VOICI D'AUTRES QUESTIONS QUI GUIDERONT VOTRE RÉFLEXION

18. Craignez-vous :

- de perdre le contrôle?

Jamais   Rarement   Quelquefois   Souvent   Habituellement

- vos propres émotions?

Jamais   Rarement   Quelquefois   Souvent   Habituellement

- les conflits et la critique?

Jamais   Rarement   Quelquefois   Souvent   Habituellement

- le rejet et l'abandon?

Jamais   Rarement   Quelquefois   Souvent   Habituellement

- d'être un raté (une ratée)?

Jamais   Rarement   Quelquefois   Souvent   Habituellement

19. Éprouvez-vous de la difficulté à vous détendre et à vous divertir?

Jamais   Rarement   Quelquefois   Souvent   Habituellement

20. Êtes-vous un mangeur compulsif, un bourreau de travail, un buveur invétéré, un consommateur de drogues ou quelqu'un qui recherche l'excitation?

Jamais   Rarement   Quelquefois   Souvent   Habituellement

21. Avez-vous déjà entrepris une psychothérapie et, malgré cela, avez-vous encore l'impression que quelque chose ne va pas?

Jamais   Rarement   Quelquefois   Souvent   Habituellement

22. Ressentez-vous souvent un engourdissement, un vide intérieur ou de la tristesse?

Jamais   Rarement   Quelquefois   Souvent   Habituellement

23. Éprouvez-vous de la difficulté à accorder votre confiance?

Jamais   Rarement   Quelquefois   Souvent   Habituellement

24. Votre sens des responsabilités est-il démesuré?

Jamais   Rarement   Quelquefois   Souvent   Habituellement

25. Avez-vous le sentiment de ne rien accomplir de positif, tant sur le plan personnel que professionnel?

Jamais   Rarement   Quelquefois   Souvent   Habituellement

26. Avez-vous un sentiment de culpabilité, d'infériorité ou de piètre estime de soi?

Jamais   Rarement   Quelquefois   Souvent   Habituellement

27. Êtes-vous enclin à la fatigue et aux douleurs chroniques?

Jamais   Rarement   Quelquefois   Souvent   Habituellement

28. Avez-vous du mal à rendre visite à vos parents plus de quelques minutes ou de quelques heures à la fois?

Jamais   Rarement   Quelquefois   Souvent   Habituellement

29. Éprouvez-vous de l'incertitude lorsqu'on vous interroge sur vos sentiments?

Jamais   Rarement   Quelquefois   Souvent   Habituellement

30. Vous êtes-vous déjà demandé si vous aviez été maltraité ou négligé durant votre enfance?

Jamais   Rarement   Quelquefois   Souvent   Habituellement

31. Avez-vous du mal à demander aux autres ce que vous attendez d'eux?

Jamais   Rarement   Quelquefois   Souvent   Habituellement

Si vous avez répondu « quelquefois », « souvent » ou « habituellement », et ce, quelle que soit la question, il vous sera utile de poursuivre cette lecture. (Si vous avez répondu « jamais » à plusieurs de ces questions, vous pourriez ne pas être conscient de certains de vos sentiments.)

Dans cet ouvrage, je décris certains principes fondamentaux de la découverte de soi, et je propose comme solution la libération du Moi véritable ou de l'Enfant en soi. Je décris ensuite un processus d'émancipation du Moi véritable, qui vise à apaiser la confusion, la douleur et la souffrance.

Il faudra du temps, des efforts et de la discipline personnelle pour que s'accomplisse ce travail de recouvrance intérieure. Je vous conseille de relire certains chapitres de ce livre au cours des mois et des années à venir.

Chapitre 2

Historique du concept de l'Enfant en soi

La notion de l'Enfant en soi remonte à bien avant l'époque de Jésus-Christ. On attribue cependant l'élargissement de ce concept à trois récentes étapes d'évolution.

Les enfants victimes d'abus et de négligence

La première de ces étapes découle de deux courants de pensée : celui qui s'intéresse à l'enfance maltraitée, et le courant corollaire, qui combine la notion de l'enfance maltraitée aux travaux de certains cliniciens et auteurs du domaine de la psychothérapie. Ces concepts ont évolué simultanément au cours des cinquante dernières années, probablement en marge de la deuxième étape importante de l'évolution du concept de l'Enfant en soi.

Cette deuxième étape d'évolution englobe le courant du programme d'entraide basé sur les Douze Étapes, ainsi que le courant étroitement apparenté du traitement des alcooliques dans leur milieu familial. Une telle évolution pourrait étonner ceux d'entre vous qui sont peu initiés à ces trois domaines de spécialité : l'enfance maltraitée, la psychothérapie et le traitement de l'alcoolisme. Il existe pourtant des liens entre ces domaines, chacun apportant sa contribution à l'autre.

Le rétablissement de l'alcoolique

Les premiers succès de la thérapie visant le traitement de l'alcoolisme datent de 1935, l'année de création du mouvement des Alcooliques Anonymes (AA). En plus d'être eux-mêmes alcooliques, la majorité des fondateurs de ce groupement étaient des enfants d'alcooliques ou avaient été victimes d'abus ou de mauvais traitements durant leur enfance. Un grand nombre d'entre eux avaient tenté différentes formes de psychothérapies, mais sans succès. Malheureusement, aujourd'hui encore, en dehors du cadre des traitements spécialisés de l'alcoolisme, les traitements de psychothérapie individuelle pour les alcooliques et les membres de leurs familles dès les débuts du sevrage ne sont pas encore concluants.

Au même titre que la psychothérapie, le domaine de la thérapie visant les enfants victimes d'abus et de négligence commence à peine à découvrir le vaste éventail des méthodes cliniques employées pour traiter les alcooliques, les personnes dépendantes de substances chimiques et les êtres codépendants (définis au tableau 4 de la page 58), et l'efficacité de ces méthodes. Parallèlement, les spécialistes en alcoolisme tirent un enseignement de plus en plus important de la psychothérapie appliquée aux enfants victimes d'abus ou de négligence.

Pendant ses vingt premières années d'existence, le mouvement des Alcooliques Anonymes s'est étendu et affirmé comme *le* traitement idéal pour les alcooliques

(Kurtz, 1979). Fondé sur les Douze Étapes, le programme de rétablissement proposé fut une révélation pour l'alcoolique jusqu'alors incompris et maltraité. Au milieu des années 1950, on assista à la fondation du mouvement de la thérapie familiale et de l'association Al-Anon, regroupant les membres de la famille et les amis d'alcooliques. On accorda cependant peu d'attention aux *enfants* élevés dans des familles d'alcooliques et, surtout, l'Enfant intérieur de tous ceux qui étaient touchés par l'alcoolisme.

Il fallut attendre la fin des années soixante pour voir la parution de livres et d'articles sérieux portant sur les enfants issus de familles d'alcooliques. Le premier livre, intitulé *The Forgotten Child* (L'Enfant oublié) et signé Margaret Cork, parut en 1969. Dès lors, les ouvrages portant sur ce sujet commencèrent à se multiplier.

La famille et les enfants

Au cours des années 70 et au début des années 80, on assista à l'émergence de méthodes pratiques visant à comprendre et à aider les familles dont un membre est dépendant de l'alcool ou de substances chimiques. Ce domaine a connu un tel essor qu'aujourd'hui plusieurs cliniciens et éducateurs se spécialisent dans ce domaine. En 1983, la Fondation de l'Association américaine des enfants d'alcooliques (National Association for Children of Alcoholics, NACoA)* favorisa la création de réseaux et la diffusion d'information. Au même moment, les rencontres des premiers groupes d'entraide pour les enfants-adultes issus de parents alcooliques débutèrent. Aujour-

---

* Les premiers groupes francophones ont été créés au Québec en 1987 sous le nom de Enfants-adultes de familles dysfonctionnelles ou alcooliques (EADA).

d'hui, ces groupes prolifèrent à un tel rythme que l'on estime qu'il s'en crée un nouveau chaque jour aux États-Unis (Cermak, 1985; ACA, 1985; Al-Anon, 1986).

Au cours des dernières décennies, le concept de l'Enfant en soi a refait surface et s'est développé, tant dans le domaine de la thérapie des familles d'alcooliques que dans celui de la psychothérapie.

La psychothérapie

Le lien entre la psychothérapie et le concept de l'« Enfant en soi » commença à se tisser avec la découverte de l'inconscient, qui fut suivie de la théorie freudienne du traumatisme. Freud écarta toutefois rapidement cette dernière au profit d'une autre théorie, qui s'avéra moins efficace sur le plan clinique dans le traitement des traumatismes de l'enfance, soit la théorie des pulsions (de l'instinct) et du complexe d'Œdipe (Freud, 1964; Miller, 1983, 1984). Tandis que plusieurs de ses disciples et collègues parmi les plus brillants et les plus prometteurs, comme Jung, Adler, Rank et Assagioli, s'opposaient à ces deux théories et apportaient leurs propres précieuses contributions à la psychothérapie, le concept de l'Enfant en soi — le vrai Moi ou le Moi authentique — faisait lentement son chemin. Erikson, Klein, Horney, Sullivan, Fairbairn, Hartman, Jacobson et plusieurs autres ouvrirent la voie aux travaux d'observation du pédiatre londonien Donald Winnicott sur les mères, les nouveau-nés et les enfants. Ces travaux contenaient aussi des précisions relatives au vrai Moi ou Moi véritable, qui représente l'Enfant en soi, un élément vital essentiel.

S'inspirant d'ouvrages portant sur la psychothérapie psychanalytique — notamment d'auteurs tels que Freud et Winnicott —, de ses propres observations cliniques et de lectures traitant de l'enfance maltraitée, Alice Miller commença en 1979 à intégrer à sa pratique la notion de l'enfant victime de mauvais traitements, d'abus et de négligence, ainsi que des notions de psychothérapie psychanalytique. En revanche, dans trois de ses livres, elle n'a établi qu'à deux reprises le lien entre l'alcoolisme de l'un des parents et les dommages causés à l'Enfant intérieur, malgré le fait que plusieurs de ses patients (et ceux de ses collègues psychanalystes) étaient probablement issus de parents alcooliques et codépendants. Je n'ai nullement l'intention de la discréditer, car j'estime que sa formation, tout comme la mienne et celle de la plupart des professionnels dans ce domaine, était incomplète. Nous n'avons pas été formés pour traiter l'alcoolisme et la codépendance en tant que maladies primaires (Whitfield, 1980). En réalité, notre formation tendait plutôt à *nier* la spécificité de ces deux affections cliniques répandues.

La médecine

La psychothérapie de groupe et l'imagerie mentale dirigée appliquées au traitement des cancéreux ont grandement contribué au développement du concept du rétablissement de l'Enfant en soi. Découvrant que plusieurs malades atteints d'un cancer avaient éprouvé des difficultés à satisfaire leurs désirs et à exprimer leurs émotions, Mathews-Simonton et d'autres (1983) ont proposé des méthodes visant à remédier à ces carences. D'autres thérapeutes spécialisés en médecine commencent maintenant à employer des méthodes similaires pour le traitement des maladies cardiaques et des maladies graves (Dossey, 1984; Moss, 1985; Siegel, 1986). J'estime que les principes et les techniques liés au rétablissement de l'Enfant en soi peuvent s'avérer d'une grande utilité dans le traitement de toute forme de maladie ou de souffrance.

La spiritualité

La spiritualité est le dernier élément qui articule le concept de l'Enfant en soi aux deux autres domaines dont nous venons de parler. Les personnes qui œuvrent auprès d'alcooliques et de leurs familles obtiennent des résultats positifs en recourant à cette méthode de recouvrance. Certains psychothérapeutes et certains médecins commencent à reconnaître son apport (Wilber, 1979, 1983; Whitfield, 1985; Wegscheider-Cruse, 1985; Kunz, 1985; Moss, 1985; Siegel, 1986; Vaughan, 1985; Bowden, Gravitz, 1987). Tout au long de cet ouvrage, et en particulier au quinzième chapitre, je parle de spiritualité — et *non* de religion organisée. Ainsi que je l'ai écrit dans *Alcoholism and Spirituality* (Alcoolisme et spiritualité), je pense que la spiritualité est essentielle à un complet rétablissement, qu'il s'agisse d'une maladie physique ou psychologique. Cette spiritualité peut contribuer à la découverte et à la libération de l'Enfant en soi, notre Moi véritable et authentique.

Qui est cet Enfant en soi? Comment le reconnaître, le ressentir, le percevoir? Comment contribue-t-il à la recouvrance dans les contextes que nous venons de décrire, ainsi qu'au traitement d'autres affections d'ordre physique, mental, émotionnel et spirituel?

Chapitre 3

Qui est
cet Enfant en soi?

Que cette notion nous semble lointaine, vague, ou même irréelle, chacun de nous porte en lui un Enfant intérieur, une entité vivante, énergique, créatrice et comblée. C'est notre Moi véritable, celui ou celle que nous sommes vraiment. Horney, Masterson et d'autres auteurs parlent du « Moi véritable », alors que certains psychothérapeutes comme Winnicott et Miller font plutôt référence au « vrai Moi ». D'autres cliniciens ou éducateurs, qui exercent à l'intérieur ou à l'extérieur des champs de la thérapie familiale et du traitement de l'alcoolisme, le nomment aussi « Enfant intérieur ».

La majorité d'entre nous apprennent à réprimer ou à nier notre Enfant intérieur. Nous sommes aidés en cela par nos parents, par d'autres figures d'autorité et par des institutions comme le système d'éducation, les organisations religieuses et politiques, les médias et même la psychothérapie. Lorsque cette composante vitale qu'est l'Enfant en soi ne reçoit pas de soins suffisants et qu'elle n'est pas encouragée à s'exprimer librement, un faux moi (un moi codépendant) apparaît. Je décris ces deux parties de nous-même dans le tableau 1, à la page 32.

L'Enfant en soi ou le Moi véritable

Dans ce livre, les termes suivants sont interchangeables : vrai Moi, Moi véritable, Enfant en soi, Enfant intérieur, Enfant intime, Enfant divin et Moi supérieur. (J'écris ces termes avec une majuscule initiale afin de souligner leur importance dans notre vie et de mieux les distinguer du faux moi ou du moi inférieur.) On l'a aussi appelé le Moi profond, ou le Noyau intérieur (James, Savary, 1977). Tous ces termes désignent une entité essentielle en nous : celui que nous sommes vraiment au moment où nous nous sentons le plus authentique, le plus sincère, le plus enthousiaste.

Notre Moi véritable est spontané, démonstratif, aimant, généreux et communicatif. Notre vrai Moi accepte autrui comme il s'accepte lui-même. Il est capable de ressentir ses émotions, qu'elles soient douloureuses ou agréables. Notre Moi véritable accepte les émotions, sans les juger ni les craindre, et les considère comme un moyen valable de comprendre et d'apprécier les événements de la vie.

L'Enfant en soi est vivant, créatif et sûr de lui. Il sait être un enfant, au sens le plus évolué, le plus mature et le plus large du terme. Il a besoin de jouer et de s'amuser. Il est si ouvert et si confiant qu'il peut être vulnérable. Il s'abandonne à lui-même, aux autres et, finalement, à l'univers même. Il est réellement puissant (*Cf.* chapitres 11 et 15). Il est sainement complaisant, voire indulgent envers lui-même, et il prend plaisir à recevoir et à donner de l'attention. Il est aussi ouvert à cette immense et mystérieuse partie de lui-même que nous appelons l'inconscient, et attentif aux messages que celui-ci lui livre chaque jour, comme les rêves, les épreuves et la maladie.

Tableau 1. Quelques caractéristiques du Moi véritable et du moi codépendant

Moi véritable	Moi codépendant
• Moi authentique	• Moi inauthentique, masque
• Vrai Moi	• Faux moi, personnage
• Authentique	• Faux, personnalité affectée
• Spontané	• Programmé et indécis
• Démonstratif, aimant	• Timide, craintif
• Communicatif, généreux	• Taciturne et refoulé
• Confiant en lui et en autrui	• Envieux, critique, idéalisé, perfectionniste
• Compatissant	• Dépendant des autres, conformiste à outrance
• Aime inconditionnellement	• Aime avec conditions
• Ressent ses émotions, même ses colères spontanées du moment	• Cache ou nie ses émotions, même ses colères contenues depuis longtemps
• Sûr de lui	• Agressif ou passif
• Intuitif	• Rationnel, logique
• Enfant intérieur, Enfant intime, capable d'être un enfant	• Sens parental surdéveloppé; discours d'adulte; parfois immature
• A besoin de jouer et de s'amuser	• Évite de jouer et de s'amuser
• Vulnérable	• Prétend toujours être fort
• Puissant dans le vrai sens du mot	• Limité dans sa puissance
• Confiant	• Méfiant

• Adore qu'on prenne soin de lui	• Évite qu'on prenne soin de lui
• S'abandonne	• Contrôle, se replie sur lui-même
• Complaisant envers lui-même	• Exigeant envers lui-même
• Ouvert à l'inconscient	• Refuse l'inconscient
• Est conscient qu'il fait partie d'un tout	• Oublie qu'il fait partie d'un tout; se sent séparé des autres
• S'épanouit librement	• Se conforme sans cesse à des modèles inconscients négatifs
• Moi individuel	• Moi public

Puisqu'il est vrai, il peut s'épanouir en toute liberté. Alors que le moi codépendant oublie cette unité qui nous relie aux autres et à l'univers, le Moi véritable s'en souvient. Pourtant, pour la plupart d'entre nous, le Moi véritable est également le moi individuel. Qui connaît la raison de notre refus de le partager? Peut-être craignons-nous de souffrir ou d'être rejetés. Selon certaines estimations, notre Moi véritable n'est dévoilé aux autres que quinze minutes par jour, en moyenne. Quelles qu'en soient les raisons, nous avons tendance à ne pas révéler cette partie de nous-même.

Lorsque nous sommes « branchés » sur le Moi véritable ou que nous *devenons* ce Moi véritable, nous nous sentons vivants. Nous ressentons parfois de la douleur comme de la peine, de la souffrance, de la culpabilité, de la colère, mais malgré tout nous nous sentons *vivants*. Nous pouvons aussi ressentir de la joie comme du contentement, du bonheur, de l'inspiration, voire même de l'extase. Dans l'ensemble, nous sentons que nous faisons partie de l'univers et nous nous sentons complets, convenables, réels, entiers et sains d'esprit. Nous nous sentons vivants!

Notre Enfant intérieur se développe naturellement depuis l'instant de la naissance jusqu'au moment de la mort, et à toutes les époques et transitions de l'existence. Nous n'avons rien à *faire* pour qu'émerge le Moi véritable. Il se contente d'*exister*. Si nous le laissons exister, il se révélera sans efforts de notre part. En fait, tout effort ne sert souvent qu'à nier son existence, qu'à le bâillonner.

Le faux moi ou le moi codépendant

À l'opposé, une autre partie de nous-même se sent souvent inconfortable, lasse, inauthentique. Pour la désigner, je substitue à volonté l'une ou l'autre des expressions suivantes : le faux moi, le moi codépendant, le moi inauthentique ou le moi public.

Notre faux moi est un masque. Il est refoulé, contracté et craintif. C'est notre moi égocentrique ou notre surmoi : sans cesse centré sur lui-même, il avance péniblement, se retient, se réserve. Ce moi est envieux, critique, idéalisé, désapprobateur, perfectionniste, et il éprouve un sentiment de honte.

Détaché du Moi véritable, le faux moi est dépendant des autres, c'est-à-dire qu'il s'applique à être ce qu'il *croit* que les autres veulent qu'il soit; il est donc conformiste à outrance. Il prodigue de l'amour, mais à ses conditions. Il masque ses sentiments, les dissimule ou les nie. Qui plus est, il est capable de cacher ses sentiments négatifs comme nous le faisons, par exemple, lorsqu'on nous demande :

« Comment ça va ? » et que nous répondons systémati-
quement : « Très bien, merci. » Cette courte réponse est
souvent nécessaire pour nous défendre de la conscience
angoissante du faux moi, qui ignore tout de ses émotions
ou qui, les connaissant, les censure comme si elles étaient
mauvaises ou erronées.

Contrairement au Moi véritable qui s'affirme lorsqu'il
le faut, le faux moi est souvent agressif, passif, ou les
deux à la fois, sans raison apparente.

Notre faux moi a tendance à être un « parent critique », un terme utilisé en analyse transactionnelle. Il évite
de jouer et de s'amuser; il prétend être fort, voire même
puissant. Pourtant son pouvoir est négligeable ou même
inexistant, car en réalité ce faux moi est étonnamment
craintif, méfiant et destructeur.

Étant donné que le moi codépendant a besoin de se
replier et de contrôler, il renonce à s'épanouir. Il n'est pas
capable de s'abandonner. Centré sur lui-même, il a tendance à refuser les messages émis par l'inconscient. Malgré tout, il tend à répéter des scénarios inconscients,
souvent douloureux. Puisqu'il oublie notre Unité, il se
sent isolé. Il devient un moi public, celui que les autres et
nous-mêmes croyons que nous devons être.

La plupart du temps, lorsque nous tenons le rôle du
moi codépendant, nous nous sentons mal à l'aise, insensibles, vides ou contraints. *Nous n'avons pas l'impression
d'être vrais, complets, entiers, ni même sains d'esprit.* D'une
façon ou d'une autre, nous percevons que quelque chose
ne va pas, que quelque chose nous manque.

Paradoxalement, nous croyons souvent que ce faux
moi est notre Moi naturel, celui que nous « devons être »,
ce qui s'explique par notre accoutumance à cette fausse
perception de nous-même. Nous sommes tellement habi-

tués à jouer le rôle de ce moi codépendant que le Moi véritable se sent coupable, comme si quelque chose n'allait pas, comme si nous ne devions pas nous sentir réels et bien vivants. Envisager un changement de cet ordre est terrifiant!

Le faux moi ou le moi codépendant semble universellement répandu. On y fait allusion et on le décrit maintes fois, par écrit ou verbalement, dans notre vie de tous les jours. Il répond à diverses appellations : instrument de survie, psychopathologie, moi égocentrique, moi défensif (Masterson, 1985). Il peut s'avérer destructeur tant pour soi-même et pour autrui que dans les relations intimes. Il s'agit par contre d'une lame à double tranchant. Il peut être utile mais jusqu'à quel point? Et dans quelles circonstances?

Le poème suivant de Charles C. Finn décrit plusieurs de nos luttes contre notre faux moi.

Je t'en prie,
entends ce que je ne dis pas

Ne te laisse pas tromper par moi.
Ne te laisse pas tromper par les masques que je porte,
Parce que je porte un masque, mille masques,
que je crains d'enlever.
Et aucun de ceux-ci ne révèle qui je suis vraiment.
La simulation est une seconde nature chez moi
et je la pratique avec art,
mais ne te laisse pas tromper.
Pour l'amour de Dieu, ne te laisse pas tromper.
Je te donne l'impression d'être sûr de moi,
que tout est serein et ensoleillé,
tant à l'intérieur qu'à l'extérieur de moi,

Que la confiance et le calme sont mon apanage,
Que la mer est calme et que je contrôle tout,
Que je n'ai besoin de personne.
Mais ne me crois pas.
Je suis peut-être paisible en apparence,
mais cette apparence est mon masque,
qui toujours varie et toujours dissimule.
Derrière ce masque, nulle complaisance.
Derrière ce masque, la confusion, la peur et la solitude.
Mais je le cache. Personne ne doit le savoir.

J'ai peur à la seule idée
que ma faiblesse et mes craintes puissent être révélées.
Voilà pourquoi je me compose désespérément
un masque derrière lequel me cacher,
Une apparence nonchalante et sophistiquée,
qui m'aide à faire semblant,
qui me protège du regard avisé.
Mais un tel regard est exactement
ce qu'il faut pour me sauver.
        C'est mon seul espoir et je le sais.
Mon seul espoir s'il est suivi par l'acceptation,
et par l'amour.
C'est la seule chose qui puisse me libérer de moi-même,
Des murs de cette prison que j'ai construits moi-même,
Des obstacles que j'ai minutieusement
placés sur ma route.
C'est la seule chose qui pourra m'assurer
de ce que je ne puis m'assurer moi-même,
que je vaux vraiment quelque chose.
Mais je ne te dis rien de tout cela.
Je n'ose pas. J'ai peur de le faire.
Je crains que ton regard
ne soit pas suivi par l'acceptation,
ne soit pas suivi par l'amour.

Je crains que tu ne te fasses
une mauvaise opinion de moi, que tu te moques.
Et ton rire me tuerait.
Profondément, j'ai peur de n'être rien,
De n'être bon à rien,
Et que tu t'en rendras compte et que tu me rejetteras.

Alors, je joue désespérément à faire semblant,
En apparence je suis sûr de moi
mais en réalité je n'ai pas cette assurance,
et l'enfant à l'intérieur de moi est terrifié.
Ainsi commence le défilé chatoyant
mais vide des masques,
et ma vie devient une façade.
Je bavarde avec toi
dans les suaves tonalités des propos superficiels.
Je te dis tout ce qui ne signifie rien,
et rien de ce qui veut tout dire,
de ce qui pleure en moi.
Alors lorsque je répète mon numéro,
Ne te laisse pas tromper par mes mots.
Je t'en prie, écoute avec attention
et essaie d'entendre ce que je ne dis pas,
Ce que je voudrais être capable de dire,
Ce que, pour survivre, j'ai besoin de dire,
Mais ce que je suis incapable d'exprimer.

Je n'aime pas me cacher.
Je n'aime pas jouer à des jeux faux et superficiels.
Je veux cesser de jouer.
Je veux être sincère et spontané, je veux être moi-même,
mais tu dois m'aider.
Tu dois me tendre la main
même si je ne semble pas le désirer.

Toi seul peux décrocher de mes yeux
ce regard absent de mort vivant.
Toi seul peux me ramener à la vie.
Chaque fois que tu es doux, gentil, encourageant,
Chaque fois que tu essaies de me comprendre
parce que tu le prends vraiment à cœur,
des ailes poussent à mon cœur,
de très petites ailes,
des ailes très faibles,
Mais des ailes tout de même!
Par ton pouvoir de me ramener à mes vraies émotions
tu m'insuffles la vie.
Je veux que tu le saches.

Je veux que tu saches à quel point tu m'importes,
à quel point tu contribues à créer
l'être que je suis vraiment
si tu choisis de le faire.
Toi seul peux démolir le mur derrière lequel je tremble,
Toi seul peux retirer mon masque,
Toi seul peux me libérer de ce monde des ombres,
affolant et incertain,
et de ma prison de solitude,
si tu choisis de le faire.
Je t'en prie, choisis-le. Ne me laisse pas tomber!
Pour toi, ce ne sera pas chose facile.

La longue croyance en l'inutilité érige des murs solides.
Plus tu t'approcheras de moi,
plus je risque de riposter aveuglément.
C'est irrationnel mais,
en dépit de tout ce qu'on a écrit sur l'être humain,
Je suis souvent irrationnel.
Je combats la seule chose dont j'ai vraiment besoin.

Mais on dit que l'amour est plus fort
que les murailles les plus résistantes,
et mon espoir repose en cette croyance.
Je t'en prie, essaie de faire tomber ces murs
d'un geste ferme,
mais d'une main douce
car l'enfant est fragile.

Qui suis-je? te demandes-tu.
Je suis quelqu'un que tu connais très bien.
Car je suis chaque homme que tu rencontres
et je suis chaque femme que tu croises sur ton chemin*.

---

*   Traduction libre.

Chapitre 4

Réprimer
l'Enfant en soi

Comment s'y prennent nos parents, les autres personnes faisant figure d'autorité et les institutions — le système d'éducation, les organisations religieuses ou politiques, les médias et même les professionnels de la relation d'aide — pour réprimer ou nier l'Enfant intérieur qui sommeille en chacun de nous? Comment pouvons-nous savoir si *nous-mêmes* avons été affectés par ces personnes ou ces institutions? Quels sont les facteurs et les conditions qui ont incité nos parents ou d'autres figures parentales à réprimer notre Enfant intérieur?

Certains besoins essentiels de l'être humain

Dans des conditions idéales, nous devons combler certains besoins essentiels pour que notre Enfant intérieur se développe et grandisse. À partir d'auteurs tels que Maslow (1962), Weil (1973), Miller (1983, 1984) et Glasser (1985), j'ai dressé une liste hiérarchisée de vingt facteurs ou conditions qui constituent, à mon avis, l'ensemble des besoins essentiels de l'être humain (*cf.* tableau 2). Presque tous sont reliés à notre relation avec nous-même et avec les personnes qui nous entourent.

Tableau 2. Une hiérarchie des besoins humains
(Compilation partielle de Maslow, 1962; Miller, 1981; Weil, 1973; Glasser, 1985)

---

1. Survie
2. Protection
3. Toucher, contact physique
4. Attention
5. Reflet et écho
6. Orientation
7. Écoute
8. Sincérité
9. Participation
10. Acceptation
    - Conscience des autres à l'égard du Moi véritable; ils le prennent au sérieux et l'admirent
    - Liberté d'être son Moi véritable
    - Tolérance de ses propres sentiments
    - Validation
    - Respect
    - Sentiment d'appartenance et d'amour
11. Capacité de faire des deuils et de grandir
12. Soutien
13. Loyauté et confiance
14. Réalisation
    - Maîtrise, pouvoir et contrôle

- Créativité
- Sentiment de plénitude
- Contribution

15. Transcendance des choses ordinaires, modification de l'état de conscience
16. Sexualité
17. Agrément ou plaisir
18. Liberté
19. Soins et attention
20. Amour inconditionnel (y compris la communication avec une Puissance supérieure)

Si nous souhaitons réaliser notre potentiel, nous devons vraisemblablement combler l'ensemble de ces besoins. Celui qui grandit sans en prendre conscience ne satisfait pas ces besoins, et se sent souvent confus et extrêmement malheureux.

La survie, la protection et la sécurité

Un nouveau-né a besoin de tellement d'attention qu'il est nécessaire qu'une personne soit disponible pour lui et qu'elle soit capable de satisfaire la majorité des besoins de l'enfant afin de lui assurer sa simple survie. Il est à tout le moins nécessaire de le protéger et d'assurer sa sécurité.

Le toucher

Depuis les études de Spitz, de Montague et d'autres chercheurs, nous connaissons l'importance du toucher parmi les besoins humains. Les nouveau-nés privés de contact physique ne réussissent pas à s'épanouir et à se développer, même s'ils sont bien nourris, soignés et protégés. L'effet du toucher est particulièrement intense lorsqu'il y a contact avec la peau. Des expériences tentées sur des lapins nourris de manière à provoquer l'artériosclérose (le durcissement des artères) ont démontré que ces derniers, si on les embrasse et si on les caresse, ont tendance à ne pas être atteints de cette maladie, qui se développe surtout chez les autres lapins qu'on *n'a pas* étreints ni caressés (Dossey, 1985).

Il semble que les étreintes et les caresses sont essentielles pour ressentir les liens qui nous rattachent à la vie et les soins qui nous sont prodigués. D'après Virginia Satir, nous devons recevoir entre quatre et douze étreintes par jour pour nous conserver en bonne santé.

L'ATTENTION

Un enfant ou un individu doit recevoir de l'attention, ce qui signifie que quelqu'un doit lui prodiguer cette attention. La mère (ou une autre figure parentale) doit être présente auprès du nourrisson ou de l'enfant, de manière à combler au moins les besoins de ce dernier en matière de protection, de sécurité et de contact.

LE REFLET ET L'ÉCHO

Un autre besoin consiste à confirmer le nouveau-né, l'enfant ou l'adulte dans son rôle d'être sensible et intelligent. On parle de reflet et d'écho lorsque la mère réagit de manière non verbale par l'expression de son visage, de son corps, de sa voix ou par tout autre mouvement, de manière à ce que l'enfant se rende compte qu'il a été compris.

À ce stade, nous savons que, si la mère (ou une autre figure parentale) ne peut satisfaire ces tout premiers besoins, la croissance physique, mentale, émotionnelle et spirituelle de l'enfant risque d'être compromise. Il est possible que la mère elle-même souffre de graves carences et qu'elle *utilise* son enfant pour combler ses propres besoins inassouvis. Voilà un fait étonnant chez les nouveau-nés : ils peuvent ressentir les carences *spécifiques* de leur mère et, peu à peu, *déceler ses besoins afin de les combler*! Mais le prix à payer est considérable, car ainsi l'enfant nie, réprime et neutralise son propre Enfant intérieur. Ce prix augmente à mesure que l'enfant grandit et devient un adulte, avec les souffrances physiques, mentales, émotionnelles et spirituelles qui en résultent.

L'ORIENTATION

L'orientation, qui contribue au développement et à la croissance du nouveau-né et de l'enfant, peut être dispensée sous forme de conseils, d'aide ou de toute autre assistance, qu'elle soit verbale ou non verbale. Elle consiste aussi à lui offrir des modèles, et à lui transmettre des aptitudes sociales pertinentes et saines.

L'ÉCOUTE, LA PARTICIPATION ET L'ACCEPTATION

Il est important de savoir que quelqu'un nous écoute, même s'il ne nous comprend pas toujours. Dans la liste hiérarchisée des besoins — de neuf à vingt — on trouve des formes d'écoute de plus en plus enrichissantes, et cela comprend le fait de participer avec l'enfant à des activités adaptées à son âge, l'*acceptation* du Moi (de l'Enfant en soi) du nourrisson, de l'enfant et, plus tard, de l'adulte. La mère (ou toute autre figure parentale) est attentive au Moi véritable de l'enfant; elle le prend au sérieux et l'admire. Elle manifeste son acceptation en respectant, en approuvant et en tolérant les *sentiments* du Moi véritable de l'enfant. Ainsi, l'Enfant en soi se sent libre d'exister dans son authenticité et de s'épanouir.

Nos lecteurs peuvent maintenant se rendre compte que certains de leurs besoins n'ont pas été ou ne sont pas comblés. Pourtant, nous n'en sommes qu'à la première moitié de cette liste de besoins de l'être humain.

FAIRE DES DEUILS ET GRANDIR

Chaque fois que nous subissons une perte, qu'elle soit réelle ou appréhendée, nous devons vivre la douleur et les souffrances qui y sont reliées. Cela demande du temps. Et lorsque nous vivons ce deuil jusqu'au bout, nous grandissons. Ces processus de deuil et de croissance constitue le principal sujet d'étude de cet ouvrage.

LE SOUTIEN

Pour qu'il y ait soutien, il est nécessaire que l'ami ou le parrain n'entrave pas la quête du Moi véritable de l'autre et qu'il fasse tout son possible pour lui permettre de réaliser pleinement son potentiel. Cette notion de soutien implique que tout soit mis en œuvre afin que le Moi véritable ait les moyens de réaliser ce potentiel.

LA LOYAUTÉ ET LA CONFIANCE

La loyauté et la confiance mutuelles sont nécessaires pour assurer le soutien d'un individu. On ne peut trahir longtemps le Moi véritable d'une personne sans que la relation en souffre. Afin de croître, l'Enfant en soi doit *sentir* qu'on lui fait confiance et qu'il peut également accorder sa confiance aux autres.

La réalisation

De manière générale, quatre notions sous-tendent la réussite ou la réalisation : la transmission et l'exercice du pouvoir, le contrôle ou la maîtrise. À un niveau supérieur, cela signifie qu'une personne est *capable* d'accomplir une tâche, mais qu'elle est aussi consciente de l'accomplissement de cette tâche. Le niveau le plus élevé de la réalisation est sans doute le sentiment d'*avoir* contribué à quelque chose, ce qui donne un sens à la tâche réalisée.

Certaines personnes qui ont grandi au sein de familles perturbées ou dysfonctionnelles éprouvent de la difficulté à terminer les tâches ou les projets entrepris, ou à prendre des décisions. Cela s'explique par le fait que, pendant la réalisation de ces tâches, elles n'ont pas reçu les conseils et le soutien d'un être important à leurs yeux. À l'opposé, d'autres individus issus de familles dysfonctionnelles peuvent très bien réussir dans certains domaines, comme les études ou le travail, mais s'avèrent incapables d'y parvenir dans d'autres domaines, tels que les relations intimes.

La modification de l'état de conscience, l'agrément et le plaisir

Classifier la modification de l'état de conscience comme un besoin de l'être humain peut susciter la controverse, notamment parce que la croyance populaire veut qu'une telle modification résulte de la consommation d'alcool et d'autres stupéfiants (Weil, 1973). En fait, nous éprouvons le besoin inné, voire biologique, de modifier périodiquement notre état de conscience, que ce soit par la rêverie, le rire, la pratique des sports, la concentration sur un projet ou le sommeil. Étroitement associée à ces derniers, une autre modification de l'état de conscience s'ajoute : le besoin d'avoir du plaisir et de s'amuser. De nombreux enfants provenant de familles perturbées ont de la difficulté à se détendre et à s'amuser. La spontanéité et le jeu sont des besoins et des caractéristiques de l'Enfant en soi.

LA SEXUALITÉ

On élimine souvent la sexualité de la liste des besoins de l'être humain. Je ne parle pas seulement des rapports sexuels, mais plutôt d'une gamme de possibilités variant du simple fait de bien se sentir comme homme ou comme femme, aux plaisirs issus des divers aspects de la sexualité de l'être, en passant par la découverte de l'*animus* (l'homme) dans la psyché d'une femme et de l'*anima* (la femme) dans celle de l'homme.

Parmi les personnes qui ont grandi au sein de familles perturbées, nombreuses sont celles qui présentent des problèmes liés à leur identité, à leur fonctionnement ou à leur plaisir sexuels. Certaines d'entre elles peuvent avoir été victimes d'abus sexuels, que ce soit de façon manifeste ou clandestine.

LA LIBERTÉ

Au nombre des besoins fondamentaux de l'être humain, on retrouve la liberté de risquer, d'explorer, d'être spontané. Toutefois, cette liberté s'accompagne de responsabilité. Par exemple, alors que la spontanéité est généralement saine, l'impulsivité peut nous être défavorable.

LES SOINS ET L'ATTENTION

L'avant-dernier élément dans l'ordre des besoins humains est la notion de soins; il est normal de combler l'un ou la totalité des autres besoins déjà décrits, quel que soit le contexte. Cependant, la personne qui prodigue les soins doit être capable de le faire *et* la personne qui a besoin de ces soins doit être capable de s'abandonner afin de bien les recevoir. Selon mes observations auprès de mes patients et de leurs familles, je puis affirmer qu'une telle réciprocité est plutôt inhabituelle dans le domaine des interactions humaines.

L'AMOUR INCONDITIONNEL

L'amour inconditionnel constitue le dernier de nos besoins. Plusieurs éprouvent de la difficulté à bien saisir ce concept et nous en reparlerons au chapitre 15.

Le parent insatisfait

On rencontre rarement une mère, une autre figure parentale ou un ami intime *qui soit en mesure* de satisfaire ou de nous aider à satisfaire tous nos besoins, et encore moins quelqu'un qui puisse les combler. Habituellement, une telle personne n'existe pas. (Il arrive qu'une femme tombe enceinte et porte l'enfant à terme pour satisfaire avant tout ses propres besoins.) Ainsi, pendant la période de recouvrance, nous *faisons le deuil* de nos besoins insatisfaits durant la petite enfance et l'enfance, et à l'âge adulte. Il est également sain de faire un deuil d'événements indésirables, comme les mauvais traitements ou les agressions sexuelles. Il sera question de ce processus de deuil dans les chapitres 11 et 12.

Nombre de mères (ou d'autres figures parentales) sont très démunies sur les plans émotionnel et mental, probablement parce que leurs propres besoins sont demeurés insatisfaits durant l'enfance ou à l'âge adulte. Leurs besoins sont alors si criants qu'elles manipulent les autres de façon malsaine afin d'y pourvoir. Quiconque se trouve dans leur entourage, leurs proches ou leurs voisins, y compris les nouveau-nés et les enfants, sera inconsciemment manipulé à cette fin (Miller, 1983). Afin de survivre, l'enfant qui ne peut développer un Moi véritable solide doit compenser en s'inventant un faux moi exagéré, un moi codépendant.

Il peut sembler incroyable qu'une mère se serve d'un nourrisson vulnérable et sans défense pour combler ses propres besoins. Cela arrive pourtant souvent dans de nombreuses familles perturbées ou dysfonctionnelles. Le chapitre 5 traitera du contexte familial de l'enfant, et des conditions qui favorisent la confusion, la régression et la mauvaise orientation.

Chapitre 5

Les troubles parentaux qui contribuent à réprimer l'Enfant en soi

Comment la mère, une autre figure parentale ou, plus tard au cours de la vie, un proche *peuvent-ils nous aider à combler* plusieurs de *nos besoins*? En général, les besoins de ces personnes doivent avoir été comblés pendant *leur* enfance. Ou, à l'âge adulte, elles doivent avoir entrepris une démarche de rétablissement de leur Enfant intérieur et avoir appris à combler leurs besoins.

Toutefois, certains troubles peuvent nuire à la satisfaction de ces besoins. Plus les parents et la famille sont démunis, plus ils se trouvent dans des conditions difficiles ou carrément impossibles à vivre, moins les besoins de l'enfant seront comblés. Ces troubles parentaux sont énumérés au tableau 3. Le terme « parental » ne désigne *pas seulement les parents*, mais aussi les frères et sœurs, ou toute autre personne importante. Lorsque l'enfant grandit et devient un adulte, ce parent peut être toute personne qui vit dans *son entourage et qui exerce sur lui une certaine influence.*

L'alcoolisme et les autres dépendances aux substances chimiques

On peut définir l'alcoolisme et toute autre dépendance aux substances chimiques comme un trouble récurrent, un problème lié à la consommation d'alcool ou de stupéfiants. Ce trouble peut survenir dans l'une ou l'autre sphère de l'existence, comme les relations personnelles, l'éducation, la loi, les finances, la santé, la spiritualité et la profession.

Tableau 3. Troubles parentaux liés aux dynamiques des enfants-adultes d'alcooliques ou issus d'autres types de familles dysfonctionnelles

---

• L'alcoolisme

• Autre dépendance aux substances chimiques

• Codépendance

• Maladie mentale chronique
et maladie physique dysfonctionnelle

• Rigidité extrême, punitions, jugement,
manque d'amour, perfectionnisme, inadaptation

• Mauvais traitement (physique, sexuel,
mental, émotionnel, spirituel) infligé à l'enfant

• Autres troubles, par exemple ceux qui sont associés
au stress post-traumatique

Nous savons que les enfants-adultes d'alcooliques (EADA) ont tendance à n'être *pas conscients* de l'alcoolisme ou de la toxicomanie qui perturbent leurs parents ou un autre membre de leur famille. Black (1984) estime que près de la moitié des enfants-adultes de parents alcooliques nient que leurs parents aient pu souffrir de ce problème. Et près de 90 % des enfants d'alcooliques qui deviennent eux-mêmes alcooliques ou toxicomanes ne parviennent pas à identifier un problème d'alcool chez leurs parents. Étant inconscients de la nature même de la principale source de désordres au sein de leur famille, ils développent une acceptation démesurée, destructrice et inutile de cette situation. Les membres de la famille se blâment eux-mêmes et développent des sentiments de honte par rapport à ce qu'ils vivent.

Toute personne qui s'interroge sur la consommation d'alcool ou de stupéfiants de l'un des membres de sa famille ou qui est directement touchée par cette situation aurait avantage à répondre au questionnaire suivant. (Si vous ne vivez plus avec cette personne ou si elle est décédée, répondez aux questions comme si vous *viviez* encore ensemble. S'il s'agit de *drogue* plutôt que d'alcool, remplacez les termes relatifs à l'alcool par ceux qui conviennent.)

Questionnaire sur l'alcool et la famille

		Oui	Non
1.	Quelqu'un dans votre famille change-t-il de personnalité lorsqu'il boit de manière excessive?	——	——
2.	Estimez-vous qu'il accorde plus d'importance à l'alcool qu'à vous-même?	——	——

3. Vous plaignez-vous ou vous sentez-vous   Oui Non
pitoyable devant les répercussions qu'a,
selon vous, l'alcool sur votre famille?   ___ ___

4. La consommation excessive d'alcool de l'un
des membres de votre famille a-t-elle déjà
gâché certains événements spéciaux?   ___ ___

5. Vous arrive-t-il de trouver des prétextes
pour excuser les impairs causés par quelqu'un qui boit exagérément?   ___ ___

6. Avez-vous déjà senti le besoin d'excuser, ou
vous êtes-vous senti coupable ou responsable de la consommation exagérée d'alcool
d'un membre de votre famille?   ___ ___

7. La consommation d'alcool de l'un des membres de votre famille cause-t-elle des échauf-
fourées ou des disputes?   ___ ___

8. Avez-vous déjà essayé de vous mesurer à
celui qui boit en buvant vous aussi?   ___ ___

9. La consommation d'alcool de certains membres de votre famille vous rend-elle dépres-
sif ou furieux?   ___ ___

10. Votre famille éprouve-t-elle des difficultés
financières à cause de l'alcool?   ___ ___

11. Avez-vous déjà pensé que votre vie familiale était malheureuse à cause de l'alcoolisme de l'un des membres de la famille?   ___ ___

12. Avez-vous déjà tenté de contrôler le comportement du buveur en cachant les clés
de sa voiture, en vidant les bouteilles dans
l'évier, etc.?   ___ ___

13. Estimez-vous que le problème d'alcool de   Oui Non
cette personne vous détourne de vos responsabilités?

                                                                       —— ——

14. Vous inquiétez-vous souvent de la consommation d'alcool d'un membre de votre famille?

                                                                         —— ——

15. Les jours de congé sont-ils un cauchemar
plutôt qu'une occasion de réjouissance à
cause du comportement d'un membre de
votre famille qui boit trop?

                                                                         —— ——

16. La plupart des amis du membre de votre
famille qui consomme trop d'alcool sont-ils
des buveurs invétérés?

                                                                         —— ——

17. Est-il nécessaire de mentir aux employeurs,
parents ou amis afin de leur cacher qu'un
membre de votre famille boit?

                                                                         —— ——

18. Réagissez-vous différemment envers les
membres de votre famille lorsqu'ils boivent?   —— ——

19. Les actes du buveur vous ont-ils déjà mis
dans l'embarras? Avez-vous ressenti le besoin de vous excuser pour lui?

                                                                          —— ——

20. La consommation d'alcool de l'un des membres de votre famille vous fait-elle craindre
pour votre propre sécurité ou pour celle des
autres membres de la famille?

                                                                          —— ——

21. Avez-vous déjà pensé que l'un des membres
de votre famille avait un problème relié à
l'alcool?

                                                                         —— ——

22. Avez-vous déjà fait de l'insomnie à cause
d'un membre de votre famille qui buvait
trop?

                                                                         —— ——

23. Avez-vous déjà encouragé un membre de   Oui Non
    votre famille à cesser ou à diminuer sa con-
    sommation d'alcool?   ___ ___

24. Avez-vous déjà menacé de quitter la mai-
    son ou de rompre avec un membre de votre
    famille parce qu'il buvait?   ___ ___

25. Un membre de votre famille vous a-t-il déjà
    fait des promesses qu'il n'a pas tenues parce
    qu'il buvait?   ___ ___

26. Avez-vous déjà souhaité vous confier à quel-
    qu'un qui vous comprendrait et qui pour-
    rait venir en aide au membre de votre
    famille qui boit trop?   ___ ___

27. Vous êtes-vous déjà senti malade, avez-vous
    déjà pleuré ou senti un nœud à l'estomac à
    cause du problème d'alcool d'un membre de
    votre famille?   ___ ___

28. Un membre de votre famille a-t-il déjà
    oublié ce qui s'est produit durant le temps
    où il a trop bu?   ___ ___

29. Un membre de votre famille évite-t-il les
    rencontres sociales au cours desquelles on
    ne sert pas de boissons alcoolisées?   ___ ___

30. Un membre de votre famille connaît-il des
    périodes de regret après avoir bu et pré-
    sente-t-il des excuses pour son comporte-
    ment?   ___ ___

31. Décrivez tout symptôme ou trouble nerveux
    que vous avez éprouvé depuis que vous con-
    naissez ce buveur invétéré.   ___ ___

Si vous avez répondu par l'affirmative à deux des questions énumérées ci-dessus, il est fort probable que l'un des membres de votre famille ait des problèmes liés à la consommation d'alcool.

Si vous avez répondu par l'affirmative à quatre questions ou plus, cela indique clairement qu'un membre de votre famille a un problème d'alcool.

(Ces questions ont été modifiées ou adaptées à partir du test de dépistage des enfants d'alcooliques, Jones, Pilat, 1983, du Howard Family Questionnaire, *et du* Family Alcohol Quiz *d'Al-Anon. Ils sont mentionnés dans Whitfield et* al, *1986.)*

La codépendance

Le trouble suivant est la codépendance (ou « coalcoolisme », ainsi qu'on le désignait dans les années 1970). Dans les années 1980, ce terme est devenu plus large, à preuve les cinq définitions exposées au tableau 4.

La codépendance est un trouble qui réprime le Moi véritable ou l'Enfant en soi. Elle *résulte* de tous les troubles parentaux répertoriés au tableau 3, de même qu'elle y *contribue.*

On peut définir la codépendance comme *étant un dérèglement ou un dysfonctionnement résultant d'une concentration sur les besoins et les comportements d'autrui.* Les êtres codépendants deviennent tellement préoccupés par les besoins de leurs proches qu'ils négligent leur Moi véritable. Ainsi que le souligne Mme Schaef dans son livre intitulé *Co-Dependence* (1986), cela mène progressivement à un état d'« inexistence ».

Tableau 4. Quelques définitions
de la codépendance

---

1) [...] un mode de fonctionnement exagérément dépendant, composé de comportements acquis, de croyances et de sentiments qui rendent l'existence pénible. C'est une dépendance envers les gens et les choses extérieures au Moi, qui fait que ce Moi est négligé au point de ne conserver qu'une piètre image de soi-même. (SMALLEY, S., cité chez Wegscheider-Cruse, 1985)

2) [...] préoccupation et dépendance extrêmes (émotionnelle, sociale, parfois physique) envers quelqu'un ou quelque chose. En définitive, cette dépendance envers quelqu'un devient un état pathologique qui touche la personne codépendante dans toutes ses autres relations. Cela peut inclure quiconque (a) est amoureux d'un alcoolique ou est marié avec lui; (b) a au moins un parent ou un grand-parent alcoolique; (c) a grandi au sein d'une famille répressive sur le plan émotionnel... C'est une atteinte initiale et une maladie, que l'on retrouve chez tous les membres de la famille d'un alcoolique. (WEGSCHEIDER-CRUSE, 1985)

3) [...] comportement problématique, inadapté ou malsain issu de la cohabitation, de la collaboration professionnelle ou de la simple proximité d'un être alcoolique (ou dépendant d'une substance chimique ou souffrant d'autres troubles chroniques). Elle touche non seulement les individus, mais aussi les familles, les communautés, les entreprises et les autres institutions, voire des sociétés entières. (WHITFIELD, 1984, 1986)

4) [...] un état émotionnel, psychologique et comportemental apparaissant à la suite du contact et de la pratique prolongés d'une série de règles répressives — règles qui empêchent le sujet d'exprimer ouvertement ses sentiments et d'aborder de manière directe les problèmes personnels et interpersonnels. (SUBBY, 1984)

5) [...] un désordre s'exprimant de diverses façons qui évolue à partir d'un autre mécanisme pathologique [...] que je nomme mécanisme d'accoutumance [...]. Ce dernier est un mécanisme pathologique malsain et anormal dont les suppositions, les croyances, les comportements, et le manque de conscience spirituelle mènent progressivement à la non-existence d'un individu. [...] (SCHAEF, 1986)

Phénomène très répandu, la codépendance peut s'apparenter ou être associée à différents troubles, et même les aggraver. Elle se développe lorsque l'on confie à son ego et à autrui la responsabilité de son bonheur et de sa vie.

LE DÉVELOPPEMENT DE LA CODÉPENDANCE

Le fait de réprimer nos observations, nos sentiments et nos réactions est à l'origine même de la codépendance. Cette répression vient des autres, souvent même de nos parents. Puis *nous-mêmes* commençons à *nier* nos *signaux intimes*.

Pendant les premières étapes de ce processus, nous commençons par nier l'existence d'un secret, qu'il soit familial ou autre. Puisque toutes nos pensées sont dirigées vers les besoins de notre entourage, nous négligeons peu à peu les nôtres et, ce faisant, nous réprimons notre Enfant intérieur.

Mais nous éprouvons quand même des sentiments, souvent douloureux. Étant donné que nous continuons à les réprimer, nous développons progressivement une plus grande tolérance à la douleur émotionnelle. Nous nous insensibilisons et, puisque nous refusons nos émotions, nous sommes incapables de pleurer jusqu'au bout nos pertes quotidiennes.

Tout cela freine notre croissance et notre développement sur les plans mental, émotionnel et spirituel. Nous éprouvons malgré tout le désir d'entrer en contact avec notre Moi véritable et de mieux le connaître. Nous découvrons alors que les solutions à court terme telles que les comportements compulsifs nous placent en présence de ce Moi véritable, libérant ainsi quelque peu nos tensions. Cependant, si un tel comportement compulsif s'avère destructeur pour nous-même ou pour autrui, nous ressentons de la honte et nous perdons l'estime de nous-même. À cette étape, nous avons l'impression de contrôler de moins en moins, ce qui nous amène à compenser en tentant de contrôler de plus en plus. Nous finissons par être désillusionnés et blessés, et nous projetons souvent cette souffrance sur les autres.

Nos tensions se sont alors accumulées à un point tel que nous sommes susceptibles de développer une maladie reliée au stress, qui se manifeste par des douleurs et souvent par le dysfonctionnement d'un ou de plusieurs organes. Nous nous trouvons alors dans un état de codépendance avancée, qui risque progressivement d'empirer jusqu'à l'apparition de sautes d'humeur exagérées, de relations intimes difficiles et d'un état de tristesse chronique. Cette codépendance avancée risque de gêner sérieusement la recouvrance de ceux qui tentent de se sortir de leur alcoolisme, d'une accoutumance aux substances chimiques, ou d'un autre problème ou d'une autre maladie.

L'évolution de la codépendance

On peut résumer ainsi les étapes de la codépendance :

1. Élimination et refoulement des signaux intimes, comme les observations, les sentiments et les réactions;

2. Négation de ses propres besoins;

3. Début de la répression de l'Enfant en soi;

4. Négation d'un secret familial ou d'un autre secret;

5. Tolérance croissante à la douleur émotionnelle, allant jusqu'à l'insensibilité;

6. Incapacité de pleurer une perte;

7. Blocage de la croissance mentale, émotinnelle et spirituelle;

8. Comportements compulsifs visant à diminuer la douleur et à entrer en contact avec l'Enfant en soi;

9. Honte croissante et perte de l'estime de soi;

10. Impression de perte du contrôle. Besoin de contrôler davantage;

11. Illusions et projection de la douleur;

12. Apparition de maladies reliées au stress;

13. Aggravation des compulsions;

14. Détérioration progressive

- sautes d'humeur exagérées;

- difficulté à nouer des relations intimes;

- tristesse chronique;

- interférence nuisant au rétablissement de la personne (alcoolisme et autres troubles).

Que l'on soit un nouveau-né ou un enfant grandissant auprès d'une personne codépendante, que l'on soit un adulte proche de cette personne ou vivant avec elle, il est très probable que notre conscience du moment et notre capacité de nous en sortir en seront affectées. Le Moi véritable sera réprimé, ainsi que nous l'avons déjà montré dans la première partie de cet ouvrage.

LES SUBTILITÉS DE LA CODÉPENDANCE

La codépendance est la cause la plus répandue de la confusion et de la souffrance à travers le monde. Elle peut être subtile dans ses manifestations et ainsi difficile à identifier. Voici le témoignage de Karen, 45 ans. Ses parents étaient codépendants et, sous leur influence, *elle* l'est devenue aussi.

« Lorsque j'ai entendu parler des caractéristiques des enfants-adultes de parents alcooliques, je me suis reconnue. J'ai donc cherché à identifier un alcoolique dans ma famille, mais je n'ai trouvé personne. Il m'a fallu creuser un peu, car mes deux parents possédaient plusieurs caractéristiques de la codépendance. Mon père était un bourreau de travail et il réussissait ce qu'il entreprenait. Mais il consacrait son temps et son énergie à tous, sauf à sa famille. Il était maire de notre ville et je me sentais coupable lorsque je lui demandais de l'attention. Il fut un père absent qui ne m'apporta aucun soutien durant l'adolescence. Ma mère était une outremangeuse compulsive, quoique à l'époque je l'ignorais. Elle n'était pas la mère dont j'avais besoin. Ma mère et mon père m'ont enseigné à me sacrifier et à plaire démesurément aux autres.

« J'ai épousé deux alcooliques et, peu à peu, j'ai tellement centré ma vie sur eux que j'en ai oublié mes propres besoins, jusqu'à croire que j'étais en train de perdre la raison. J'étais incapable de refuser quelque chose à qui que ce soit. Puisque tout allait mal, j'ai cherché à rectifier la situation de la seule façon que je connaissais : travailler encore plus fort, retourner à l'université, prendre de plus en plus de responsabilités, et devenir une hyperactive compulsive. Évidemment, je négligeais encore plus mes propres besoins. J'étais dépressive et cette dépression s'aggrava progressivement. Tellement que j'en suis arrivée à avaler une surdose de somnifères. C'est alors que j'ai touché le fond.

« Complètement désespérée, j'ai communiqué avec les AA et on me dirigea vers le mouvement Al-Anon. J'ai assisté aux rencontres quotidiennes que j'ai adorées. Voilà maintenant six ans que j'assiste à au moins une rencontre hebdomadaire. J'ai aussi suivi une thérapie de groupe pendant deux ans et demi. Tout cela m'a beaucoup aidée. Rétrospectivement, je me rends compte que ma démarche de rétablissement m'a beaucoup aidée, non seulement sur le plan mental et émotionnel, mais aussi sur le plan spirituel. J'ai découvert que ma mère représentait mon problème le plus important. J'avais développé vis-à-vis d'elle une dépendance concernant ce que je devais ressentir et à la manière dont je devais vivre ma vie. J'étais tellement mal que je n'étais plus capable de ressentir des émotions et de vivre par moi-même. Il me fallait observer les autres pour savoir ce que je devais ressentir et comment je devais vivre. J'en voulais à ma mère de cette situation, et à mon père qui l'avait encouragée dans cette attitude et qui n'avait pas été là lorsque j'avais eu besoin de lui. J'ai épousé deux hommes qui, sans le savoir, m'ont encouragée à reproduire les mêmes comportements. Je suis tellement heureuse d'être guérie! »

Le témoignage de Karen présente quelques-unes des manifestations subtiles de la codépendance.

LE TROUBLE MENTAL CHRONIQUE OU LE TROUBLE PHYSIQUE CHRONIQUE CRÉANT UN HANDICAP

Un trouble mental chronique peut se manifester de manière subtile et être bénin. Mais il peut tout aussi bien être flagrant et handicaper une personne. Il peut s'agir de l'un des troubles mentaux chroniques et émotionnels listés et décrits dans le DSM-III, le *Manuel diagnostique et statistique des troubles mentaux* publié par l'*American Psychiatric Association*.

Voici le témoignage de Barbara, 56 ans, mariée et mère de quatre enfants, menant une carrière professionnelle :

« Il y a quatre ans, j'ai finalement cherché de l'aide. J'étais dépressive depuis ma plus tendre enfance. En thérapie, j'ai appris que ma mère avait souffert de dépression chronique presque toute sa vie. Je me souviens d'un rendez-vous qu'elle m'avait fixé — j'avais environ vingt-cinq ans — avec un homme avec lequel *elle* avait une liaison, alors qu'elle était mariée et qu'elle vivait avec mon père. Je me sentais vraiment moche d'accepter. Mon père était froid et distant, autant envers moi qu'envers ma mère. Plus tard, lorsque ma mère fut hospitalisée après avoir absorbé une surdose de somnifères, j'ai appris que mon père avait été impuissant pendant presque toute la durée de leur mariage. Bien entendu, c'était un secret de famille. D'aussi loin que je me souvienne, je croyais que la froideur de mon père et la dépression chronique de ma mère étaient de *ma faute,* et je m'en sentais honteuse et coupable. Enfant, j'ai pu survivre en me montrant obéissante, studieuse et en m'intéressant uniquement à ma mère.

« J'ai joué le rôle de sa gardienne. Durant l'adolescence, j'ai lu tout ce que j'ai trouvé en bibliothèque sur la psychologie afin de guérir mon père et ma mère. Pendant mon rétablissement au moyen d'une psychothérapie et à travers une réflexion personnelle, j'ai compris que j'étais fusionnée à ma mère à un tel point que, en me levant le matin, je ne pouvais savoir comment je me portais avant d'avoir vu comment elle se sentait elle-même. J'ai aussi compris que la distance et la froideur de mon père n'avaient aucun rapport avec ma conduite ou mes résultats scolaires, mais plutôt qu'elles ne concernaient que *lui seul*. J'ai appris que je n'avais plus à jouer le rôle d'une victime. Depuis, je me sens beaucoup mieux et ma vie s'améliore. Je continue à travailler afin de me libérer de mes anciens problèmes. »

En cherchant de l'aide, Barbara en est arrivée à reconnaître le mal causé à son Moi véritable par le seul fait de grandir dans cette famille perturbée; elle est maintenant en bonne voie de rétablissement.

Rigidité extrême, punitions, jugements, manque d'amour, perfectionnisme ou sentiment de ne pas être à la hauteur

Même si le Moi véritable d'un grand nombre de gens a été considérablement réprimé, la nature exacte des « troubles » perturbant leur famille respective ne peut être facilement et précisément identifiée. Par exemple, on peut facilement s'apercevoir qu'un membre de sa famille est alcoolique lorsque c'est évident. Il est plus malaisé de reconnaître un problème bien dissimulé. J'ai observé et traité des centaines d'enfants-adultes de parents alcooliques, de personnes intoxiquées à des substances chimiques et des êtres codépendants durant leur long rétablissement. J'ai également rencontré de nombreux patients qui correspondaient à la *définition* d'« enfants d'alcooliques » — tant selon mon diagnostic que selon leurs propres observations —, mais qui ne venaient pas de familles comportant des cas d'alcoolisme, de dépendance aux substances chimiques ou de codépendance; ni d'une famille manifestant l'un des troubles parentaux énumérés au tableau 3.

Cathy, une jeune femme de 32 ans, avait grandi dans une famille perturbée dont aucun des membres n'était alcoolique. Pourtant elle se joignit à un groupe de thérapie destiné à des enfants-adultes de parents alcooliques, Elle n'est pas la seule et elle représente un nombre grandissant d'« enfants-adultes issus de familles perturbées ou dysfonctionnelles », ou d'« adultes ayant vécu un traumatisme » pendant leur enfance. Ces personnes découvrent de nombreuses similitudes entre leur existence passée et celles des enfants-adultes de parents alcooliques. À mi-chemin de son rétablissement, Cathy a livré le témoignage suivant :

> « Mes parents étaient adeptes du "que va penser le voisin?". En société, nous projetions l'image de la famille idéale; chacun se montrait attentionné à l'égard de l'autre. *En privé* cependant, au lieu de sourire, de bavarder ou de blaguer, mon père devenait complètement absent sur les plans physique, verbal et émotionnel, et maman hurlait pour obtenir son attention.

> « J'avais toujours le sentiment de me "préparer à" quelque chose ou de me tenir prête pour ce quelque chose... entrecoupé d'un tourbillon de tâches ménagères. Je

me sentais plus heureuse lorsque j'effectuais ces tâches, car j'avais alors un rôle à jouer. J'ai appris très vite à étouffer mes tensions en prévoyant ce qui restait à faire afin de rendre la vie plus facile à ma mère. Consciemment, je m'appliquais à n'avoir besoin de rien ni de personne afin de réduire une partie de mon stress.

« Papa était soit absent, soit couché. Il aurait pu tout aussi bien habiter ailleurs. Je ne me souviens d'aucune interaction avec lui, sauf à distance; je le craignais, bien qu'il n'ait jamais été brutal verbalement ou physiquement. Je suis devenue neutre avec mon père, alors que mes sentiments pour ma mère étaient très forts; je "prenais soin" d'elle en ne lui causant aucun souci, en prévoyant comment elle voulait que je me comporte. Cela a suscité en moi un fort sentiment de haine envers elle en raison du fossé qu'elle avait creusé entre mon père et moi. J'ai passé une grande partie de ma vie d'adulte dans une forme de valse-hésitation, où parfois je m'employais à lui plaire pendant que d'autres fois je me rebellais contre ce qu'elle voulait de moi. La cinquième de six enfants, je me souviens très bien que mon père oubliait parfois qui j'étais. Il était un bourreau de travail, et ma mère s'occupait des travaux domestiques de manière compulsive. J'essaie maintenant de mieux comprendre certains de mes sentiments envers mon père. Je me souviens que je vivais silencieusement en espérant que personne ne me remarque, tout en ressentant un besoin maladif de recevoir de l'attention de *quelqu'un*. J'étais toujours trop grosse et je voulais toujours perdre ce poids, cherchant à me cacher à cause de mon apparence.

« J'ai continué cette vie discrète durant mes années d'école secondaire, me sentant protégée et en sécurité tant que je restais à la maison. J'avais d'ailleurs l'impression de ne pas vouloir m'en éloigner. J'étais différente de mes frères et sœurs, qui étaient sportifs et qui pratiquaient l'art dramatique, l'art oratoire, etc. J'ai continué à agir ainsi durant mes années d'université. Je ne disposais pas d'un appartement sur le campus de l'université dans lequel je me serais sentie en sécurité, alors mon obésité est devenue un véritable problème. Aucun fil conducteur ne dirigeait ma vie et j'ai fréquenté trois universités pour finalement obtenir un diplôme qui exigeait seulement deux années d'études.

« Ma vie d'adulte fut une question de survie. Je ne pouvais pas nouer des relations et les conserver. Je rompais avec chaque homme que je fréquentais. Je déménageais, car je ne m'entendais pas avec mes colocataires. Je quittais mon emploi, car j'avais des problèmes de personnalité avec mes supérieurs. Inconsciemment, je me tenais éloignée de ma famille. Je suis devenue boulimique pour contrôler mon poids. Je fréquentais des hommes dont je savais que ma mère désapprouverait le choix. J'ai commencé à fumer et à boire pour manifester mon "indépendance".

« J'étais une déprimée chronique et je m'isolais. Je mangeais trop ou je m'astreignais à des régimes amaigrissants, m'isolant ou mangeant de manière compulsive. Je voulais que l'on croie que je savais mener ma vie, que je n'avais besoin de rien ni de personne, mais au fond de moi j'avais tellement de besoins que, dès que je me faisais un ami, je m'attendais à ce qu'il puisse combler tous ces besoins.

« Ravagée par mes cycles successifs de gloutonnerie et de purge, j'ai rejoint les Outremangeurs anonymes il y a trois ans et demi et je fais abstinence depuis maintenant un an. J'ai commencé à fréquenter un groupe de thérapie EADA, car je sens que j'appartiens à ce groupe autant qu'à celui des Outremangeurs compulsifs. Les membres du groupe me ressemblent et vice-versa. Mais je me suis rapidement rendu compte que la démarche de recouvrance intérieure serait trop pénible. J'ai entrepris une thérapie de groupe donnée par les EADA il y a plus d'un an et demi, et j'assiste à leurs rencontres hebdomadaires.

« Pendant six mois, je n'ai pu ressentir aucune émotion ou, à tout le moins, je n'ai pu en identifier aucune. Mais j'étais en présence d'autres personnes qui parlaient de leurs sentiments en rapport avec ce qu'elles vivaient, qui les identifiaient et qui revivaient des incidents de leur vie passée qu'il avait été trop pénible de ressentir avant.

« J'ai commencé à vouloir prendre le risque de me faire connaître de ces gens. J'étais grandement motivée par mon désir de m'abstenir de trop manger. Peu à peu j'ai senti que ce groupe était une famille dans laquelle je pouvais grandir en sécurité et où je pouvais chercher ce que je n'avais pas trouvé dans ma propre famille. J'ai commencé à réagir sincèrement, même si je craignais ne pas mériter le temps précieux et l'attention que me consacrait le groupe. J'ai lentement retrouvé l'estime de moi-même en interagissant réellement et honnêtement autant dans ce groupe qu'à l'extérieur de lui. J'étais prête à reconnaître mes sentiments, que je devais les identifier et les exprimer pour me guérir. J'ai abandonné les scénarios destructeurs qui envenimaient mes relations et ma perception de moi. Je découvrais la véritable valeur du simple fait d'exister. Je confiais au groupe comment l'on se sent lorsque l'on vit au sein d'une famille dans laquelle on se sent invisible. Le fait de dire la vérité telle que je la percevais m'a incroyablement libérée. Faire preuve d'honnêteté envers moi-même a constitué le pivot central de ma réhabilitation, bien que cela fut extrêmement ardu, car j'avais entrepris cette thérapie sans *aucune* idée sur le Moi. Je me suis rendu compte à quel point il me faut du temps pour savoir que je suis quelqu'un. Beaucoup de temps s'est écoulé avant que je puisse bâtir un Moi solide et sain, en vivant un jour à la fois, avec l'entraide de différents groupes, dont les Outremangeurs anonymes. »

Le témoignage de Catherine est un exemple de ces familles — ou autre environnement ressemblant à une famille — où l'on retrouve plusieurs dynamiques communes aux familles perturbées ou dysfonctionnelles. On parle alors de l'extrême rigidité des parents, de leur sens aigu de la punition, de leurs jugements implacables, de leur perfectionnisme, ainsi que de leur relation froide et sans amour avec leurs enfants et les autres membres de la famille. Dans ces familles, les parents ont été incapables de répondre aux besoins de l'enfant sur les plans mental, émotionnel et spirituel.

Ces traits ou troubles sont souvent insidieux, subtils ou dissimulés. Ils *sont souvent difficiles à diagnostiquer à moins d'un travail considérable de recouvrance* à l'intérieur de groupes d'entraide. Ce travail peut aussi être effectué lors d'une thérapie de groupe, en consultant un professionnel ou en pratiquant une autre forme d'introspection, par exemple en se confiant et en écoutant des proches dignes de confiance. Vues de l'extérieur, ces familles ne semblent *pas* perturbées ou dysfonctionnelles. En fait, on les perçoit souvent comme des familles « comblées ». Ce type de famille perturbée ou dysfonctionnelle est désormais un sujet d'observation, d'exploration et de recherche.

L'enfant maltraité aux plans physique, sexuel, mental, émotionnel et spirituel

Les cas d'enfants maltraités ne sont pas rares dans l'ensemble des catégories de familles perturbées. Alors que l'on reconnaît que les agressions sexuelles et les mauvais traitements causent des traumatismes aux nourrissons et aux jeunes enfants, il existe d'autres types d'abus d'enfants, quoiqu'ils soient plus subtils. Il peut s'agir de brutalité physique légère à modérée, d'agression sexuelle voilée, d'agression mentale et émotionnelle, de négligence, de négation ou d'entrave aux besoins spirituels de l'enfant. Par agression sexuelle voilée, j'entends un parent qui flirte avec l'enfant, lui raconte ses expériences sexuelles ou des plaisanteries grivoises; cela inclut aussi le fait de toucher le corps d'un enfant, d'un adolescent ou d'un jeune adulte à des endroits inconvenants, de même que d'encourager toute forme de stimulation sexuelle déplacée. Ces formes d'abus se traduisent en général par un profond sentiment de culpabilité et de honte qui se perpétue de manière inconsciente à l'âge adulte. Dans un chapitre ultérieur, je parlerai plus en détail de la cruauté mentale.

Sur le plan spirituel, la notion d'abus est plutôt controversée; on en discute rarement, mais elle est bien réelle. Par exemple, certains parents peuvent penser que le fait d'élever son enfant dans l'athéisme ou l'idolâtrie constitue un abus sur le plan spirituel, alors que pour d'autres ce n'est pas le cas. Certaines religions organisées pratiquent des formes plus subtiles d'abus, notamment en propageant l'idée d'un dieu vengeur, qui suscite la culpabilité et la honte, ou en soulignant combien d'*autres* cultes ou croyances sont automatiquement mauvais ou inférieurs. On peut facilement observer cette tendance chez certaines sectes chrétiennes fondamentalistes, bien qu'elles n'en aient pas l'exclusivité, car ces caractéristiques colorent nombre d'organisations religieuses à travers le monde. En fait, ces façons de voir constituent souvent l'élément qui déclenche et perpétue les très nombreuses guerres à travers le monde.

D'autres états ou troubles étouffent notre Moi véritable. On en trouvera des exemples au chapitre 7, lorsque j'aborderai le stress post-traumatique.

Quelques caractéristiques communes

Ces troubles parentaux sont souvent présents de façon combinée dans les familles perturbées. La répression de l'Enfant intérieur ou « le meurtre de l'âme de l'enfant », pour reprendre l'expression dramatique de Schatzman (1973), trouve des dynamiques communes au sein d'une même famille. Il peut s'agir d'instabilité, d'imprévisibilité, d'autorité arbitraire et de confusion (Gravitz, Bowden, 1985; Seixas, Youcha, 1985). En général, l'instabilité et l'imprévisibilité annihilent la spontanéité et portent atteinte à la raison. Alliées à une autorité arbitraire, ces dynamiques peuvent alimenter la méfiance et la peur de l'abandon, aussi bien que la dépression chronique. Il en résulte un environnement chaotique, qui empêche l'établissement de bases solides et fiables à partir desquelles on peut apprendre à se connaître en étant capable de prendre des risques.

Nombre de ces caractéristiques se retrouvent en général au sein des familles perturbées ou dysfonctionnelles, mais *toutes ne sont pas forcément présentes dans chaque famille perturbée.*

L'INCONSTANCE

L'inconstance règne dans beaucoup de familles perturbées alors que pour d'autres il n'en est rien. Certaines de ces familles sont *constantes* dans leur *négation des sentiments* des autres membres de la famille, et dans le fait qu'elles partagent un ou plusieurs *secrets de famille*. Lorsqu'elles sont rigides, les familles perturbées sont souvent plus stables et plus prévisibles. Étant donné que ces familles sont excessives, ces qualités servent à contrôler la famille et les individus en leur refusant toute possibilité d'épanouissement.

L'IMPRÉVISIBILITÉ

Un grand nombre de familles perturbées sont « prévisiblement imprévisibles », c'est-à-dire que ses membres savent que l'imprévu peut *survenir* à tout moment. À l'opposé, beaucoup sauront *comment* et *quoi* prédire, sans pour autant en être conscients ou capables d'en parler avec les autres. Toutefois, ils vivent souvent dans une peur chronique, « marchant sur des œufs », à l'affût de leur prochain traumatisme.

LE COMPORTEMENT ARBITRAIRE

J'entends par comportement arbitraire ce qui suit : les personnes perturbées malmènent l'un ou l'autre de leurs proches, et ce, quels que soient le membre de la famille ou les efforts que celui-ci a pu fournir. Dans une famille où les règles sont absurdes, l'enfant perd confiance en ses parents qui édictent ces règles, puis en lui-même. Il n'arrive pas à comprendre son environnement. Cependant, quoique les familles plus rigides soient moins arbitraires, elles n'en sont pas moins perturbées, souffrantes et dysfonctionnelles, et même leur rigidité est souvent arbitraire.

LA CONFUSION

La confusion peut se manifester ainsi : (a) les abus physiques ou émotionnels, qui apprennent à l'enfant la honte, la culpabilité et l'insensibilité; (b) les agressions sexuelles, qui lui enseignent les mêmes sentiments, en plus de la méfiance et de la peur de perdre le contrôle; (c) les crises périodiques et répétées, qui lui apprennent à envisager la vie comme une série de crises; (d) les communications prévisibles et fermées, qui lui enseignent le mutisme, la fausseté et le refus; (e) la perte de contrôle, qui favorise l'obsession de la domination, la fusion ou l'abandon de ses limites personnelles, ou la différenciation.

Les familles dysfonctionnelles vivent généralement dans la confusion, bien que celle-ci ne soit pas présente chez beaucoup d'entre elles. La confusion peut se manifester de manière subtile. On peut réprimer l'Enfant en soi sans manifester de confusion explicite ou apparente. La simple *menace* de confusion — qu'il s'agisse d'une menace de crise, de mauvais traitement de quelque forme qu'il soit, d'une menace proférée à l'endroit d'un membre de la famille — peut s'avérer aussi néfaste. Car alors la peur s'installe et étouffe la créativité et l'émergence du Moi véritable. Si on ne peut manifester cette créativité ou ce Moi véritable, on ne peut découvrir, explorer et compléter ses expériences, et poursuivre ainsi sa croissance personnelle. On ne peut trouver la paix intérieure.

Cette confusion peut ne se produire qu'à une ou deux reprises au cours d'une année, mais son caractère imprévisible, impulsif et destructeur par rapport au Moi et à autrui suffit à compromettre pour longtemps la paix et la sérénité.

Le membre d'une famille vivant une telle confusion, que celle-ci soit manifeste ou latente, peut la considérer comme « *normale* » *et faisant partie de la vie* et, en conséquence, il *peut ne pas être capable de l'identifier*. Ce principe s'applique aussi aux autres caractéristiques énumérées et décrites dans ce chapitre.

LES MAUVAIS TRAITEMENTS

Les mauvais traitements infligés aux enfants, quelles qu'en soient les formes, peuvent être *subtils* et, de toute évidence, nuire à la croissance, au développement et à la vitalité du Moi véritable. Le tableau 5 dresse la liste de plusieurs exemples.

La négation des sentiments et de la réalité

Les familles perturbées ont tendance à nier leurs sentiments, en particulier les sentiments douloureux de leurs membres. L'enfant — et même beaucoup d'adultes — ne peut exprimer ses sentiments, surtout ceux soi-disant « négatifs », comme la colère. La famille permet par contre à un membre, en général l'alcoolique ou la personne perturbée, d'exprimer ouvertement ses émotions douloureuses, notamment sa colère. Dans ces familles où la colère est chronique et n'est pas exprimée ouvertement, elle prend d'autres formes, par exemple les mauvais traitements que l'on s'inflige ou que l'on réserve aux autres, les comportements asociaux, et diverses formes de maladies chroniques dont celles reliées au stress. La réalité que perçoit l'enfant est niée, et un nouveau modèle, fondé sur de fausses croyances, est alors adopté par l'ensemble de la famille. Cette illusion relie souvent les membres de la famille entre eux sur un nouveau mode dysfonctionnel.

Tableau 5. Quelques termes désignant les traumatismes mentaux, émotionnels et spirituels que peuvent connaître les enfants et les adultes

---

- Abandon
- Négligence
- Mauvais traitements :
  - Physiques (fessée, coups, torture, agressions sexuelles, etc.)
  - Mentaux (sexuels implicites) (*cf.* ci-dessous)
  - Émotionnels (*cf.* ci-dessous)
  - Spirituels (*cf.* ci-dessous et le texte)

• Susciter la honte	• Se retirer
• Humilier	• Retenir son amour
• Dégrader	• Ne pas prendre au sérieux
• Culpabiliser	• Discréditer
• Critiquer	• Invalider, rendre nul
• Disgracier	• Duper
• Tourner en dérision	• Désapprouver
• Se rire de	• Traiter à la légère ou minimiser ses sentiments, ses désirs ou ses besoins
• Taquiner	
• Manipuler	• Rompre ses promesses
• Tromper	• Donner de faux espoirs
• Piéger	• Répondre avec inconstance ou de façon arbitraire
• Trahir	• Être vague dans ses demandes
• Blesser	

• Être cruel	• Réprimer
• Minimiser	• Dire : « Tu ne devrais pas te sentir
• Intimider	comme ça » (ex. : la colère)
• Sermonner	• Dire : « Si seulement tu étais... »
• Menacer	(ex. : meilleur ou différent) ou « Tu
• Faire peur	devrais... » (ex. : meilleur ou différent)
• Dominer ou harceler	(voir aussi les messages négatifs
• Contrôler	au tableau 6)
• Limiter	

Cette négation et ce nouveau système de croyances étouffent et retardent la croissance de l'enfant sur les plans mental, émotif et spirituel (Brown, 1986).

Pour reprendre l'argument, le fait de *découvrir* certains troubles décrits ici peut nous mettre mal à l'aise, mais cette prise de conscience *peut signifier la fin de notre souffrance et de notre confusion*. On peut résumer ainsi les caractéristiques communes aux familles perturbées ou dysfonctionnelles, chez qui l'on rencontre au moins un, sinon plusieurs, des traits suivants :

• négligence	• partage d'un ou de plusieurs secrets
• mauvais traitements	• rejet des sentiments
• instabilité	• déni des besoins des autres
• imprévisibilité	• rigidité (chez quelques-unes)
• arbitraire	• confusion parfois (dont une tendance aux crises)
• négation	• calme et fonctionnalité parfois

On compte parmi les caractéristiques des familles perturbées divers types de négligence et de mauvais traitements. *La lecture et la réflexion* sur ces traumatismes peuvent nous aider à découvrir notre Moi véritable. *L'écoute du témoignage d'autres personnes* est également très utile. L'un des meilleurs moyens d'accepter les mauvais traitements ou les traumatismes que nous avons subis consiste à *confier nos secrets* à des personnes qui nous acceptent et qui nous soutiennent, et qui ne trahiront pas notre confiance ou ne nous rejetteront pas. Je donne à ces personnes le nom de « personnes de confiance » ou « personnes de confiance et de soutien », et j'en décrirai les principales caractéristiques dans les prochains chapitres.

Quels sont les autres facteurs ou dynamiques qui inhibent notre Enfant intérieur? Dans le prochain chapitre, il sera question du développement d'une piètre estime de soi, de la dynamique de la honte et des règles négatives, des affirmations ou messages négatifs.

Chapitre 6

Les dynamiques de la honte et de la piètre estime de soi

La honte et la piètre estime de soi jouent un rôle de premier plan dans la répression de l'Enfant en soi. La honte est à la fois un *sentiment* ou une émotion, de même qu'elle constitue une *expérience* qui concerne le Moi dans son ensemble, c'est-à-dire notre Moi véritable ou notre Enfant intérieur (Fischer, 1985; Kaufman, 1980; Kurtz, 1981).

Cette honte fait également partie d'un *processus* ou d'une *dynamique* que nous vivons sans nous en rendre compte, mais qui nous touche aussi lorsque nous prenons conscience de quelques-unes de ses manifestations.

Les adultes dont l'enfance s'est déroulée dans une famille dysfonctionnelle manifestent presque inévitablement de la honte et une piètre estime de soi. Seules les manifestations de cette honte sont susceptibles de varier entre les divers membres d'une même famille. Chacun s'adapte à la honte de la manière qui lui convient. Les principaux dénominateurs communs entre eux sont la codépendance, de même que la conduite de sa vie à partir d'un faux moi. Nous pouvons dès lors affirmer que la famille perturbée ou dysfonctionnelle est *fondée sur la honte*.

La culpabilité

On confond souvent honte et culpabilité. Pourtant il existe une différence importante entre ces deux notions.

La culpabilité est le sentiment inconfortable ou même douloureux d'*avoir* trahi ou refoulé une norme ou une valeur personnelle, d'avoir blessé une autre personne, ou même d'avoir enfreint la loi ou manqué à sa parole. La culpabilité relève donc de notre *comportement*, et décide de notre sentiment d'avoir fait ou de *ne pas* avoir fait une chose alors qu'on était censés la faire.

À l'instar de la plupart des sentiments, la culpabilité peut s'avérer une émotion utile qui nous sert de guide dans nos rapports avec nous-même et avec autrui. Elle nous informe que nous sommes conscients. Ceux qui ne ressentent jamais de culpabilité ni de remords après avoir commis une faute éprouvent de la difficulté dans leur vie, et on considère qu'ils sont antisociaux.

La culpabilité est « saine » lorsqu'elle est utile et constructive. Elle nous sert à vivre en société, à résoudre nos conflits, à surmonter les difficultés, à corriger nos erreurs et à améliorer nos relations. Mais elle est « malsaine » lorsqu'elle nuit à notre sérénité, à notre tranquillité et à notre fonctionnement, et ceci inclut la croissance intellectuelle, émotionnelle et spirituelle. Les personnes provenant d'un milieu ou d'un environnement perturbé ou dysfonctionnel présentent souvent une combinaison de ces deux types de culpabilité. Ordinairement, la culpabilité malsaine n'est pas traitée ni élaborée et elle persiste, entraînant parfois une incapacité psychologique ou émotionnelle. La « responsabilité » envers la famille l'emporte sur la responsabilité envers le Moi véritable. On peut aussi parler de responsabilité dite du « survivant » lorsqu'une personne se sent coupable d'avoir abandonné les autres dans un milieu perturbé ou d'avoir surmonté les difficultés de sa vie alors que les autres y ont échoué (voir aussi le chapitre 7).

Il est possible d'atténuer considérablement cette culpabilité si on la reconnaît et si on *remédie à la situation*. Il faut d'abord vivre à fond ce sentiment de culpabilité, puis en discuter avec des personnes en qui nous avons confiance et qui ont un rôle important dans notre vie. Une manière très simple de résoudre le problème, c'est de s'excuser auprès de la personne que nous croyons avoir blessée ou déçue, et de lui demander de nous pardonner. Dans des cas plus complexes, il y aurait peut-être lieu de discuter plus en profondeur de ce sentiment de culpabilité, soit dans le cadre d'une thérapie de groupe ou individuelle.

Il est souvent plus facile de reconnaître et de dissiper la culpabilité que la honte.

La honte

La honte est le sentiment inconfortable et douloureux que nous éprouvons lorsque nous nous rendons compte qu'une partie de nous-même est déficiente, méchante, incomplète, pourrie, fausse, inadéquate ou nulle. Contrairement à la culpabilité qui nous fait éprouver un sentiment de malaise après avoir mal *agi*, nous éprouvons de la honte d'*être* mauvais ou méchant. On peut donc corriger ou oublier sa culpabilité, alors que la honte semble sans issue.

L'Enfant en soi ou le Moi véritable *ressent la honte* et *peut l'exprimer* de façon saine aux personnes auprès desquelles il se sent en confiance et qui le soutiennent. Par contre, le moi codépendant ou faux moi prétend ne pas ressentir de honte et ne l'avoue donc jamais.

Pourtant la honte nous habite *tous*. C'est un dénominateur commun. Toutefois, si nous ne la traitons pas et que nous la laissons s'accumuler, elle aura tôt fait de nous écraser et de faire de nous ses victimes.

En plus de nous inspirer un sentiment de déficience ou d'inadéquation, la honte nous porte à croire que les autres peuvent voir à travers nous, à travers notre masque, à travers nos faiblesses. La honte est sans espoir, car quoi que l'on fasse, on ne peut la corriger (Kaufman, 1980; Fischer, 1985). La honte nous confine à la solitude, comme si nous étions les seuls à la ressentir.

Qui plus est, nous pouvons dire : « J'ai peur de te parler de ma honte, car si je le fais tu croiras que je suis mauvais, et je ne veux pas savoir à quel point je le suis. Alors, non seulement je la garde pour moi, mais souvent je l'étouffe ou bien je prétends qu'elle n'existe pas. »

« Je peux aussi camoufler ma honte sous d'autres sentiments ou d'autres gestes, puis la *projeter sur les autres*. » Voici certains sentiments ou comportements qui peuvent camoufler la honte :

• colère	• mépris	• négligence ou retrait
• ressentiment	• agression	• abandon
• rage	• contrôle	• déception
• blâme	• perfectionnisme	• comportement compulsif

« Lorsque je ressens ou que je transpose en actes l'un de ces déguisements, le moi codépendant cherche à me *protéger* contre le *sentiment* de honte. Toutefois, même si je me protège de ma propre honte, elle peut être perçue malgré tout par l'entourage, notamment lorsque je penche la tête ou que je courbe l'échine, quand mon regard est fuyant, ou quand je m'excuse de mes besoins ou de mes droits. Je peux aussi avoir la nausée, avoir froid, me refermer sur moi-même, me sentir perdu, bizarre (Fischer, 1985). Peu importe la manière dont je me défends contre moi-même et contre les autres, la honte ne s'envole pas, à moins que j'apprenne à la connaître, que je la vive pleinement, et que je la partage avec des personnes en qui j'ai confiance et qui me soutiennent. »

Une séance de thérapie de groupe nous a fourni un bel exemple de honte dissimulée, lorsque Jim, un comptable de 35 ans, a commencé le récit de sa relation avec son père qui habite loin de chez lui. « Au cours de chacune de nos conversations téléphoniques, il essaie de me juger. Je deviens alors tellement confus que j'ai envie de raccrocher. » Jim s'est ouvert davantage au groupe, qui lui a demandé quelles émotions il sentait monter en lui à ce moment-là. Il a alors eu de la difficulté à prendre conscience de ses sentiments et à les identifier, et il ne regardait personne dans les yeux. « Je suis simplement confus, j'ai toujours voulu me montrer irréprochable lorsque j'étais avec lui. Jamais je n'ai réussi à le devenir à son entière satisfaction. » Il a continué de parler et le groupe lui a demandé à nouveau comment il se sentait à ce moment précis. « J'ai peur, j'ai mal et je suppose que je suis un peu en colère. » À titre d'animateur, je lui ai demandé s'il ressentait aussi de la honte, comme si parfois il n'était pas à la hauteur. Il a répondu : « Non! pourquoi pensez-vous cela? » Je lui ai dit que son désir de perfection, le soin qu'il mettait à éviter le regard des autres et la manière dont il parlait de sa relation avec son père, tout cela portait à croire qu'il ressentait une certaine honte. Les larmes aux yeux, il nous a dit qu'il lui faudrait y réfléchir.

Les origines de la honte

La honte semble provenir de nos réactions face aux affirmations et aux messages négatifs, aux croyances et aux règles dont nous sommes imprégnés durant l'enfance et l'adolescence. Ces messages nous viennent de nos parents, des personnes représentant l'autorité parentale et d'autres figures d'autorité, telles que les enseignants et les membres du clergé. Leurs messages nous disent en quelque sorte que nous ne sommes pas convenables, qu'il nous manque quelque chose, que nos sentiments, nos besoins, notre *Moi véritable,* notre *Enfant intérieur* ne sont pas acceptables.

Sans cesse, nous entendons des phrases comme : « Tu devrais avoir honte! », « Mauvais garnement! », « Tu n'es pas assez bon! », de la part de personnes dont nous dépendons tellement, face auxquelles nous sommes si vulnérables que nous les croyons. C'est ainsi que nous *intériorisons* ces paroles au plus profond de notre être (Canfield, 1985).

Comme si ces blessures ne suffisaient pas, *elles sont aggravées par* des règles négatives qui répriment et interdisent l'*expression* saine, apaisante et nécessaire de nos douleurs. Des règles telles que : « Cache tes sentiments », « Ne pleure pas », « Un enfant sage ne réplique pas à ses parents », etc. (*cf.* tableau 6). Nous apprenons ainsi non seulement que nous sommes mauvais, mais qu'il est interdit d'en parler.

Ces règles négatives sont cependant mises en œuvre de façon inconsistante. Le résultat? Une difficulté à faire confiance à ceux qui édictent les règles et qui font figure d'autorité, et des sentiments de crainte, de culpabilité et de honte. Comment les parents ont-ils appris ces règles et ces messages négatifs? Probablement de *leurs* propres parents et autres figures d'autorité.

La famille où règne la honte

On désigne de la sorte une famille dysfonctionnelle dont chacun des membres communique aux autres à partir d'un sentiment de honte qu'il a intériorisé.

Dans une telle famille, les parents eux-mêmes n'ont pas vu leurs besoins satisfaits durant leur enfance ni même pendant leur cheminement vers l'âge adulte. Ils utilisent souvent leurs enfants pour combler ces besoins inassouvis (Miller, 1981, 1983, 1984, 1986).

Les familles où règne la honte sont souvent, *mais pas toujours,* liées par un secret. Ce secret peut comprendre toutes sortes de situations « honteuses », allant de la violence familiale aux abus sexuels ou à l'alcoolisme, voire même le fait d'avoir été prisonnier dans un camp de concentration. Le secret peut être plus subtil, comme la perte d'un emploi ou d'une promotion, ou l'échec d'une relation. Ces secrets gardés paralysent chacun des membres de la famille, *que ces derniers les connaissent ou non* (Fischer, 1985). C'est que la dissimulation est un mode relationnel qui empêche l'expression des interrogations, des inquiétudes et des sentiments (tels que la crainte, la colère, la honte et la culpabilité). Ainsi, les membres de la famille ne peuvent communiquer librement entre eux. Par conséquent, l'Enfant en soi de chacun d'eux demeure réprimé et incapable de grandir et de se développer.

Tableau 6. Règles et messages négatifs dans les familles d'alcooliques ou perturbées par d'autres troubles

Règles négatives	Messages négatifs
• N'exprime pas tes sentiments	• Tu devrais avoir honte
• Ne te mets pas en colère	• Tu n'es pas assez bon
• Ne te fâche pas	• Si seulement je ne t'avais pas eu
• Ne pleure pas	• Je désapprouve tes besoins
• Fais ce que je te dis, pas ce que je fais	
• Sois bon, gentil, parfait	• Dépêche-toi de grandir
• Évite les conflits (ou de t'en mêler)	• Sois dépendant Sois un homme
• Ne pense pas et ne parle pas, fais ce qu'on te demande	• Un garçon ne pleure pas Agis comme une grande fille
• Réussis bien en classe	• Non, ce n'est pas ce que tu ressens
• Ne pose pas de questions	• Ne sois pas ainsi
• Ne trahis pas ta famille	• Tu es tellement stupide (ou méchant, etc.)
• Ne discute pas des affaires familiales avec un étranger; garde les secrets de famille	• C'est ta faute Tu nous dois bien ça
• Fais-toi voir et non entendre	• Bien sûr que nous t'aimons!
• Ne réplique pas	• Je me sacrifie pour toi
• Ne me contredis pas	• Comment peux-tu me faire ça?
• Sois toujours à ton avantage	• Nous ne t'aimerons pas si tu…
• J'ai toujours raison et toi, toujours tort	• Tu me rends fou Tu n'arriveras jamais à rien
• Garde toujours le contrôle	• Ça n'a pas vraiment fait mal
• Concentre-toi sur le comportement de l'alcoolique ou de l'individu perturbé	• Tu es tellement égoïste Tu vas me faire mourir

- L'alcool (ou tout autre comportement perturbant) n'est pas la cause de nos problèmes
- Maintiens toujours le *statu quo*
- Chaque membre de la famille doit contribuer à son fonctionnement

- C'est faux
  Je promets
  (et ne tiens pas ma promesse)
  Tu me rends malade

- Tu es vraiment stupide
- Nous voulions un garçon (une fille)
  Oh! toi...

LES LIMITES PERSONNELLES

Paradoxalement, même si les membres de la famille communiquent difficilement entre eux, ils sont néanmoins très liés sur le plan émotionnel par la négation du secret et la loyauté dont ils font preuve dans leur silence. Souvent lorsque l'un ou plusieurs d'entre d'eux éprouvent des difficultés certaines, les autres viennent à leur rescousse et jouent leur rôle. Tous apprennent à s'occuper des affaires des autres, d'une manière ou d'une autre. Ce qui en résulte, c'est un groupe de personnes *enchevêtrées* et fusionnées, chacun empiétant sur les limites des autres.

Les limites des êtres sains et autonomes peuvent schématiquement s'illustrer comme suit :

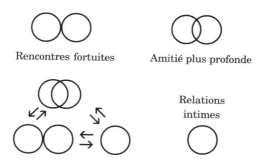

Rencontres fortuites   Amitié plus profonde

Relations
intimes

Les relations saines sont ouvertes, souples, permettent de combler les besoins et les droits de chacun, et soutiennent la croissance mentale, émotionnelle et spirituelle de chaque individu. Même si elles sont souvent intimes et profondes, leur intensité s'exprime dans un mouvement de flux et de reflux souple qui respecte les besoins de chaque membre et lui permet de s'épanouir en tant qu'individu.

Au contraire, les relations enchevêtrées ou fusionnées pourraient s'illustrer par le schéma suivant :

S'il s'agit d'une famille perturbée ou dysfonctionnelle, le schéma est le suivant :

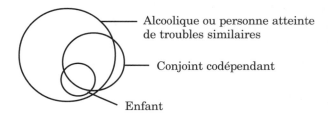

Alcoolique ou personne atteinte de troubles similaires

Conjoint codépendant

Enfant

Ces relations enchevêtrées ou fusionnées sont généralement *malsaines*, fermées, rigides et découragent l'accomplissement des besoins et des droits de chacun. Elles tendent à *ne pas* soutenir la croissance mentale et spirituelle de chaque individu. Le mouvement d'intimité et de distance n'est pas permis ou si peu. Les dossiers médicaux de Karen et de Barbara illustrent bien ce fusionnement maladif des limites.

Afin de survivre dans une relation fusionnelle, on a d'ordinaire recours à plusieurs mécanismes de défense, notamment le déni (du secret, de nos sentiments et de notre douleur) ainsi qu'à la projection de notre douleur sur les autres (attaquant, blâmant et rejetant) (Course, 1976). Toutefois, *si l'on met fin* à une relation marquée par la honte à laquelle on a survécu grâce à ces mécanismes, ces derniers semblent ne plus remplir leurs fonctions. Après avoir mis fin à une relation malsaine, si on a recours aux mêmes modes et aux mêmes mécanismes de défense qu'auparavant, on s'apercevra que *ceux-ci ne fonctionneront pas dans le cadre d'une relation saine.*

L'être codépendant est presque toujours fusionné à une ou à plusieurs personnes. Dans une relation caractérisée par la honte et la codépendance, on peut avoir l'impression de perdre la raison. Lorsque nous tentons d'appréhender la réalité, nous sommes incapables de nous fier à nos sens, à nos sentiments et à nos réactions.

Le comportement compulsif et la compulsion de répétition

Lorsque notre vie est fondée sur la honte et la codépendance, que nous sommes démesurément axés sur les autres, nous nous sentons vides et incomplets. Nous devenons malheureux, tendus, stressés, déprimés, ou bien amorphes. Ainsi, nous nous sentons menacés par la perspective d'être vraiment nous-mêmes. Nous avons tenté d'être authentiques avec les autres, et trop souvent on nous a rejetés ou punis. Nous sommes donc angoissés d'exprimer notre authenticité, nous appréhendons nos sentiments et la satisfaction de nos autres besoins. D'ailleurs, nous n'avons pas l'habitude de les exprimer. Donc, nous nous empêchons de combler ces besoins et d'exprimer nos sentiments véritables (schéma 1).

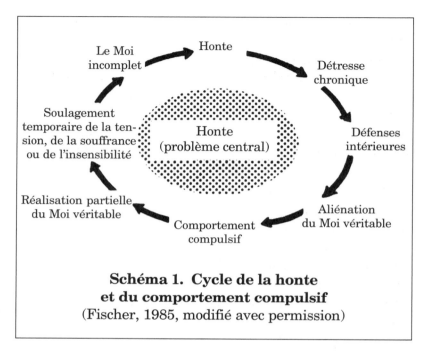

**Schéma 1. Cycle de la honte
et du comportement compulsif**
(Fischer, 1985, modifié avec permission)

Toutefois, notre Moi véritable, notre Enfant intérieur, désormais aliéné et caché, éprouve le besoin inné de s'exprimer. Secrètement, nous souhaitons ressentir sa vivacité et sa créativité. Retenu depuis tant de temps, emprisonné dans une sorte de valse-hésitation, sa seule issue nous semble être une forme de comportement compulsif négatif qui a fait ses preuves dans le passé, même s'il ne nous permet d'entrevoir qu'un pâle reflet de notre Moi véritable. La compulsion se caractérise par un large éventail de comportements possibles, allant de l'abus d'alcool ou de stupéfiants à des relations intenses de courte durée, en passant par la tentative de dominer l'autre. Ces comportements peuvent inclure les excès de table, une sexualité débridée, l'acharnement au travail, les dépenses excessives ou même le fait de participer trop souvent à des rencontres de groupes d'entraide.

Ce type de comportement compulsif s'avère négatif et peut mener à la destruction de soi-même ou des autres. Comme effet secondaire, il peut provoquer, ou précipiter une crise personnelle qui touche aussi les autres. Alors que nous pouvons exercer un certain contrôle sur ce comportement — notre volonté s'exerce jusqu'à un certain point, car nous pouvons même préméditer un tel comportement — il survient souvent de manière impulsive et automatique, comme si c'était un réflexe.

Lorsque nous agissons de manière compulsive, nous sommes temporairement soulagés de notre tension et de notre apathie, notre souffrance et notre insensibilité obtiennent une sorte de répit, même si nous ressentons une certaine honte. Et même si ce répit est de courte durée, nous nous sentons revivre à nouveau. Cependant, plus tard, les sentiments de honte et de vide nous envahissent à nouveau (Fischer, 1985).

On désigne ainsi ce type de comportement par le terme « compulsion de répétition » (Miller, 1981, 1983). Il est provoqué par des conflits intérieurs présents dans notre inconscient, cette partie de nous-même dont nous n'avons pas conscience.

Une issue

Forts de l'expérience de rétablissement de milliers d'individus, nous savons désormais qu'il existe un moyen efficace de sortir de cet état gênant et inhibiteur qu'est la honte. Celui-ci consiste à raconter notre souffrance à des personnes en qui nous avons confiance et qui nous soutiennent.

Car alors, ce que nous dévoilons et ce que nous partageons, c'est l'Enfant en soi présent en nous, notre Moi véritable avec toutes ses faiblesses *et* toutes ses forces.

Nous ne pouvons nous guérir de cette honte si nous demeurons seuls. Les autres sont nécessaires à notre rétablissement. Ils sont les témoins de nos épreuves, ils valident le bien-fondé de notre douleur, et ils nous acceptent tels que nous sommes. Et lorsque nous écoutons les autres nous raconter leurs peines et partager avec nous *leur* propre honte, nous les aidons à s'en défaire, ce qui *nous* aide à notre tour. Grâce à cette écoute et à ce partage, nous mettons en pratique le principe de l'amour inconditionnel.

De tels partages et de tels récits se répètent quotidiennement un nombre incalculable de fois, que ce soit dans le cadre de groupes d'entraide, de thérapies (individuelle ou collective) ou entre amis.

Obstacles à la réhabilitation

Alors que nous commençons à nous guérir de notre honte, nous pouvons nous heurter à divers obstacles qui nous empêchent de progresser dans cette réhabilitation. Il peut s'agir (a) d'*attitudes* négatives vis-à-vis de nous-même; (b) de souvenirs d'expression du visage ou d'autres *images* projetées par des personnes qui nous ont inspiré cette honte par le passé et que nous retrouvons maintenant chez d'autres individus; (c) des *chaînes* créées par la honte entre les diverses sphères de notre existence (Fischer, 1985). Ces sphères peuvent comprendre :

1. les sentiments;

2. les pulsions (sexualité, agression, colère et besoin d'intimité);

3. les besoins (*cf.* chapitre 4 et tableau 2);

4. les pensées (particulièrement les « mauvaises » pensées).

Ainsi, chaque fois que nous nous sentons blessés par une personne faisant figure d'autorité, comme l'un de nos parents, nous pouvons éprouver de la colère. Cependant, cette colère se transforme rapidement en sentiment de honte. Nous pouvons aussi nous sentir craintifs et confus. Étant donné que tous ces sentiments peuvent finir par nous accabler et risquer de nous faire perdre le contrôle, nous ne tardons pas à les refouler et à devenir insensibles. Durant ces moments, et pendant plusieurs minutes par la suite, nous pouvons devenir dysfonctionnels à divers degrés. Bien que le processus tout entier puisse ne durer que quelques secondes, nous pouvons régresser aussi loin que dans notre petite enfance et nous sentir à nouveau sans défense. Voilà ce qu'on appelle une *régression* ou retour à un mécanisme de survie antérieur.

Tom, 45 ans et père de deux enfants, est procureur. En thérapie de groupe, il parle de sa découverte de la régression vers un plus jeune âge.

« Il m'a fallu quarante-cinq ans avant de comprendre ce qui se produisait lorsque mon père me rabaissait. Lors de ma visite à mes parents le mois dernier, cinq minutes à peine s'étaient écoulées qu'il tentait de me rabaisser en faisant une plaisanterie douteuse sur mon travail de procureur. Il a lancé : « *Voici l'escroc d'avocat!* » Puis il nous a regardés, moi, ma mère, mon frère et ma sœur, pour voir si nous ririons avec lui. Avec l'aide de mon groupe de thérapie, j'ai compris comment je réagissais à ce moment-là. Je me suis soudainement senti confus, sans défense et en colère, comme si j'avais de nouveau cinq ans. J'ai penché la tête et je suis devenu insensible. Cette horrible sensation, je l'avais ressentie maintes fois durant l'enfance, et je la ressentais encore lorsque mon père s'adressait à moi de cette manière. Cette sensation me revient également lorsque des gens tentent de m'asticoter ou de me juger. Je me rends compte à présent que mon père tente, entre autres par ce moyen, de résoudre les conflits et d'apaiser les tensions au sein de la famille. Il lance une plaisanterie, agace ou rabaisse quiconque se trouve en conflit avec lui. Son autre méthode consistait à *quitter* la personne, l'abandonner, de sorte que jamais il ne faisait face au conflit. Alors, lorsque je régresse en âge, je m'efforce de reconnaître ce sentiment, je prends de grandes respirations et je fais les cent pas afin de retrouver mes esprits, de sorte que je puisse faire face à mon père, ou à des gens comme lui. Maintenant je lui impose mes limites lorsqu'il agit de la sorte. Je lui dis : "Je n'apprécie pas que tu plaisantes ainsi à propos de ma carrière et je ne te rendrai plus visite si tu continues." »

Nous pouvons commencer à nous libérer de la honte et de la régression en en prenant conscience. Lorsque ces situations surviennent, nous devons les reconnaître. Et lorsque nous les reconnaissons, nous devons prendre *plusieurs lentes* et *profondes respirations*. Celles-ci nous libèrent de la confusion, de l'insensibilité et de la dysfonction, et aiguisent notre conscience de la situation, de sorte que nous puissions avoir un meilleur contrôle sur nousmême. Plutôt que de devenir des êtres paralysés, confus et dysfonctionnels, nous retrouvons rapidement notre Moi véritable. Nous continuons à agir avec ce Moi véritable en nous *levant*, en *nous promenant un peu* et en *observant la réalité* autour de nous. Si nous sommes en compagnie de gens en qui nous avons confiance et qui nous soutiennent, nous pouvons alors parler de nos sentiments. Nous pouvons aussi *quitter* la personne qui nous malmène. Cependant, même si nous ne partons pas, nous pouvons retrouver une certaine assurance en nous *em-*

parant des clés de notre voiture, symbole de notre capacité de nous échapper.

Nous découvrons aussi que la régression peut nous être *avantageuse*. Elle nous signale sur-le-champ que *nous sommes maltraités* ou elle nous indique que nous l'avons été. Dès lors, on peut explorer les avenues qui s'offrent à nous afin de *corriger la situation* et d'*éviter les mauvais traitements*.

Nous savons qu'il y a une issue. Alors commence la réhabilitation de notre Enfant intérieur.

Chapitre 7

Le rôle du stress : le stress post-traumatique

L'état de stress post-traumatique peut atteindre une personne à un tel point que non seulement son Enfant intérieur est réprimé et retardé dans son développement, mais cette même personne devient manifestement malade à la suite de stress répétés impliquant d'importants traumatismes. Ce stress post-traumatique interagit avec les dynamiques de la codépendance à un point tel que souvent ils coïncident. Le stress post-traumatique équivaut à ce que Kritsberg (1986) décrit comme un « choc chronique » chez les enfants d'alcooliques.

Ce stress peut survenir à la suite de différentes manifestations, allant de la peur ou l'anxiété à la dépression, une grande irritabilité, des comportements impulsifs ou même explosifs. Afin de déterminer la présence de ce trouble, le DSM-III (1980)* conseille de s'assurer que les quatre conditions suivantes soient réunies.

---

* Une nouvelle édition du DSM existe, le DSM-IV (1995). Une traduction française du DSM-IV a été publiée chez Masson (1996).

Un facteur de stress identifiable

La première condition concerne la présence continue d'un facteur de *stress* identifiable. L'ouvrage DSM-III livre quelques exemples de divers degrés de facteurs de stress, qui sont reproduits sous une forme modifiée au tableau 7. Certes le nombre de ces exemples est incalculable, mais j'ai indiqué en italique plusieurs facteurs que l'on retrouve chez les familles perturbées ou dysfonctionnelles.

À partir de cette courte liste d'exemples, nous nous rendons compte que les facteurs de stress se retrouvent communément dans les familles et dans les environnements qui ont tendance à réprimer le Moi véritable. Toutefois, pour être en mesure d'établir la présence de l'état de stress post-traumatique, le type de facteur de stress ne doit pas provenir de la gamme des expériences habituelles. Ces facteurs exceptionnels peuvent être une agression, un viol, toute forme d'abus sexuel, une blessure grave, la torture, l'emprisonnement dans un camp de concentration, une inondation, un tremblement de terre, le départ d'un soldat pour le front, et autres facteurs semblables. À l'instar d'autres chercheurs, comme Cermak (1985), j'estime que le fait de grandir ou de vivre au sein d'une famille gravement perturbée ou dysfonctionnelle, ou dans tout autre milieu similaire, peut provoquer cet état de stress post-traumatique ou y être associé. On prétend que ce dernier est plus dommageable et plus difficile à traiter (a) si le traumatisme survient pendant une période *prolongée*, par exemple plus de six mois; et surtout si (b) les traumatismes sont d'origine *humaine*; et si (c) les proches de l'être touché *nient* la présence du facteur stressant ou de l'état de stress. Ces trois éléments sont présents dans une famille qui compte un alcoolique

Tableau 7. Classement des facteurs de stress psychosociaux suivant leur gravité (DSM-III)

Code	Exemples chez les adultes	Exemples chez les enfants et les adolescents
1. Aucun	• Aucun facteur de stress psychologiquement apparent	• Aucun facteur de stress psychologiquement apparent
2. Minimal	• Infraction mineure à la loi, petit emprunt bancaire	• Vacances en famille
3. Léger	• Dispute avec le voisin; modification des heures de travail	• Changement de professeur nouvelle année scolaire
4. Modéré	• Nouvelle carrière, décès d'un ami proche, grossesse	• *Conflit chronique avec les parents; nouvelle école; maladie d'un proche*; naissance d'un frère, d'une sœur
5. Sévère	• Grave *maladie (soi-même ou dans la famille)*; perte financière majeure; *séparation*; naissance d'un enfant	• Décès d'un compagnon; *divorce* des parents; arrestation; hospitalisation; *discipline parentale persistante et sévère*
6. Extrême	• *Décès* d'un proche parent; *divorce*	• *Décès* d'un parent, d'un frère d'une sœur; *agressions sexuelles ou sévices répétés*
7. Catastrophique	• Emprisonnement dans un camp de concentration; désastre naturel	• *Plusieurs décès dans la famille*

actif parmi ses membres ou dans une famille perturbée de façon similaire.

Revivre le traumatisme

La seconde condition — ou manifestation — consiste à revivre le traumatisme. Il peut s'agir de souvenirs récurrents et envahissants du traumatisme lui-même, des cauchemars ou des symptômes soudains faisant revivre ce traumatisme, souvent accompagnés d'une accélération du rythme cardiaque, de panique et de sueur.

La torpeur psychique

L'une des remarquables caractéristiques de l'Enfant en soi est justement sa capacité de ressentir et d'exprimer des émotions (*cf.* chapitre 3, tableau 1). Le moi codépendant ou le faux moi nie et masque les sentiments véritables. La torpeur psychique est une caractéristique de l'état de stress post-traumatique. Elle peut se manifester par la répression ou l'absence de sentiments, par le fait de ne pas les exprimer, ce qui entraîne souvent une sorte d'éloignement, de retrait, d'isolement ou d'aliénation. Elle peut aussi se manifester par une perte d'intérêt progressive pour les activités importantes de la vie.

Au sujet de la torpeur psychique, Cermak (1986) écrit : « Pendant les moments de stress extrême, on exige souvent des soldats au front qu'ils agissent sans se préoccuper de leurs propres sentiments. Leur survie dépend de leur capacité d'étouffer leurs sentiments au profit des gestes à poser afin d'assurer leur sécurité. Malheureusement, il en résulte une *séparation* du Moi et de l'expérience vécue, qui ne se cicatrise pas facilement et qui ne se résorbe pas progressivement avec le temps. À moins qu'une démarche active de rétablissement ne soit enclenchée, l'individu continue de *réprimer ses sentiments*, il *éprouve une difficulté accrue à les reconnaître* et il a constamment l'impression *d'être coupé de son environnement* (dépersonnalisation). Tous ces éléments s'additionnent pour devenir un état que nous nommons *torpeur psychique*.

D'autres symptômes

L'*hypervigilance* peut être un autre symptôme de l'état de stress post-traumatique. L'individu est tellement affecté par un stress continuel et il le craint tellement qu'il demeure constamment en alerte face aux facteurs semblables de stress potentiel ou de danger, et à la façon de les éviter. Un autre symptôme est la *culpabilité du survivant* ressentie après avoir échappé à un traumatisme alors que les autres le vivent encore. On prétend généralement que la culpabilité du survivant fait naître le sentiment d'avoir abandonné ou trahi d'autres personnes et mène souvent à la dépression chronique. Pour ma part, je suis d'avis que plusieurs autres facteurs mènent à la dépression chronique, principalement la répression de l'Enfant en soi.

Le fait d'*éviter les activités liées* au traumatisme initial pourrait également constituer un autre symptôme. Le dernier symptôme, qui n'apparaît pas au DSM-III, concerne les *personnalités multiples*. Les personnes aux personnalités multiples sont souvent issues de familles très perturbées, stressées ou dysfonctionnelles. Les personnalités multiples sont peut-être une conséquence du faux moi ou moi codépendant, qui est poussé par le Moi véritable cherchant à s'exprimer.

Cermak (1985) suggère que les dynamiques concernant les « enfants-adultes d'alcooliques » — syndrome

EADA — sont une combinaison de l'état de stress post-traumatique et de la *codépendance*. En me fondant sur mon expérience auprès d'enfants-adultes de parents alcooliques et du suivi que j'ai effectué en cours de rétablissement, de même que sur mon expérience auprès d'enfants-adultes provenant d'*autres* types de familles dysfonctionnelles, je crois que l'état de stress post-traumatique est en fait une extension extrême de l'état général résultant de la répression de l'Enfant en soi, quelle qu'en soit la forme. Lorsqu'il ne nous est pas permis de nous souvenir, d'exprimer nos sentiments ou de nous affliger de nos pertes et de nos chagrins, qu'ils soient réels ou de simples menaces, par le biais de la libre expression de notre Enfant intérieur, nous devenons alors malades. Dès lors nous pouvons envisager une vaste gamme d'afflictions irrésolues, qui débutent par des symptômes légers ou des signes d'affliction, et qui peuvent aller jusqu'à la codépendance ou l'état de stress post-traumatique. Mais le blocage de l'expression du Moi véritable constitue le dénominateur commun de tous ces états.

On peut traiter l'état de stress post-traumatique en suivant une thérapie de groupe à long terme en compagnie d'autres personnes qui en sont également atteintes et, au besoin, une thérapie individuelle à court terme. Plusieurs des traitements utilisés pour rétablir l'Enfant en soi se révèlent efficaces dans le traitement du stress post-traumatique.

Cermak a écrit (1986) : « Les thérapeutes qui obtiennent du succès avec cette catégorie d'individus ont appris à respecter le besoin qu'éprouve le patient de conserver une forme de mutisme face à ses sentiments. Le procédé thérapeutique le plus efficace consiste en une alternance entre le dévoilement et la dissimulation de ses sentiments; et c'est précisément cette capacité à moduler leurs émotions que les gens souffrant de cet état ont perdue. Ils doivent être rassurés quant à leur possibilité de refréner leurs émotions; ils doivent comprendre qu'ils ne seront pas privés de cette répression, mais plutôt qu'on en tiendra compte désormais. L'objectif initial de la thérapie consiste à favoriser le libre accès des patients à leurs émotions avec l'assurance qu'ils pourront de nouveau s'en éloigner s'ils le souhaitent. Dès que les enfants de parents dépendants de substances chimiques ou de l'alcool, les enfants-adultes de parents alcooliques et les autres personnes vivant un stress post-traumatique, réalisent qu'on ne les privera pas de leurs mécanismes de survie, ils s'autorisent plus facilement à vivre leurs émotions au grand jour, ne serait-ce qu'un instant. Et ce moment marquera le commencement de leur rétablissement. »

Chapitre 8

Comment réhabiliter notre Enfant intérieur

Afin de redécouvrir notre Moi véritable et d'assurer le rétablissement de notre Enfant intérieur, nous pouvons entamer une *démarche* qui repose sur les quatre actions suivantes :

1. Découvrir notre *Moi véritable* (ou Enfant en soi) et vivre en fonction de lui;

2. Identifier nos *besoins* permanents sur les plans physique, mental, émotionnel et spirituel. S'appliquer à *satisfaire* ces besoins auprès de personnes en qui nous avons confiance et qui nous soutiennent.

3. Identifier, revivre et *ressentir* la douleur issue des *pertes* et *traumatismes* dont nous n'avons pas pu faire le deuil, en présence de personnes en qui nous avons confiance et qui nous soutiennent.

4. Identifier les problèmes qui se trouvent au *cœur de notre être* (décrits ci-après) et s'appliquer à les résoudre.

Ces actions sont étroitement liées, bien qu'elles ne soient pas listées suivant un ordre déterminé. En effec-

tuant un travail sur ces actions et ainsi guérir notre Enfant intérieur, nous constatons qu'elles suivent un mouvement circulaire, le travail et la découverte dans un
domaine nous reliant à un autre domaine.

Étapes du processus de recouvrance

LA SURVIE

Si nous voulons nous rétablir, il faut d'abord survivre
et les survivants sont des êtres codépendants par nécessité. Pour ce faire, nous recourons à plusieurs habiletés
d'adaptation et aux défenses de l'ego. Les enfants de parents alcooliques et d'autres familles troublées ou dysfonctionnelles apprennent à survivre par n'importe quel
moyen : faux-fuyant, dissimulation, prise en charge des
autres, tractation, déni, feinte, apprentissage et adaptation. Ils apprennent aussi des mécanismes malsains de
défense de l'ego, tels que décrits par Anna Freud (1936)
et résumés par Vaillant (1977) et qui sont : l'intellectua-
lisation, la répression, la dissociation, le transfert et l'apprentissage de la réaction (le recours excessif à ces
mécanismes peut être considéré comme étant névroti-
que). On retrouve aussi la projection, les comportements
passifs et agressifs en alternance, le passage à l'acte, l'hy-
pocondrie, la mégalomanie et le déni (le recours excessif
à ces mécanismes peut être considéré comme immature
et parfois psychotique).

Alors que ces mécanismes de défense sont fonctionnels au sein d'une famille dysfonctionnelle, ils ont très
peu d'effet sur nous lorsque nous atteignons l'âge adulte.
Lorsque nous essayons de nouer une relation saine, ils
jouent en notre défaveur. Leur utilisation réprime notre

Enfant intérieur et favorise, voire renforce, le faux moi (codépendant).

Ginny était une jeune femme de vingt et un ans qui avait grandi dans une famille perturbée par l'alcoolisme. Aux premiers temps de sa recouvrance, elle a écrit le poème suivant qui illustre bien la douleur éprouvée au stade de la survie.

Peur de la nuit

Pareille à l'enfant qui s'éveille la nuit
Dans l'espoir de sentir des mains qui la réchauffent
Et des bras qui enveloppent sa solitude
qui l'apaisent par des larmes remplies de confiance
et d'amour.
Moi aussi, dans la sombre solitude
de mon manque d'amour,
abandonnée, sans attaches et rejetée,
j'invoque encore par mes pleurs silencieux et enfantins
l'espoir lointain,
la magie de se sentir aimée.

L'enfant sommeille toujours en moi
blessée par son innocence déconcertée et trahie,
Oh! Quel lamentable paradoxe.
Deviner que je puisse être sauvée
et savoir que personne ne vient à mon secours.
Mais, stimulée par mes rêves, peut-être dérisoires
mais pourtant si puissants,
souvenirs du contact cher et apaisant de l'amour,
j'attends.

On attend. On attend toujours.
Il est oublié — ce besoin sans nom
que les années ont écarté de mon cœur à l'abandon.
Mais comme une forme primitive indéfinie,
il me fait signe, il bouscule mon être,
défaisant ce qui est raisonnable.

Mon désir impuissant me rend ridicule,
Il remue mon esprit sens dessus dessous.
La douleur des souvenirs récents
qui affaiblit et défie,
qui se soumet et puis meurt,
est sans intérêt.
Je ne vis point,
J'attends, tellement désespérée[*].

Ginny raconte ici sa douleur, sa torpeur, sa solitude et son désespoir. Pourtant elle laisse filtrer un rayon d'espoir dans la phrase : « L'enfant sommeille toujours en moi. »

La recouvrance repose dans une large mesure sur la *découverte* de notre Moi, de notre Enfant intérieur, et sur la manière dont nous utilisons des moyens négatifs pour nous relier à nous-même, aux autres et à l'ensemble de l'univers. Cela s'accomplit progressivement tout au long des étapes de la recouvrance.

Même s'il est clair que nous avons la possibilité de nous en sortir, il est aussi vrai que nous devons vivre une bonne dose de douleur et de souffrance. Ou bien nous pouvons alterner entre la douleur et l'insensibilité. Peu à

---

* Traduction libre.

peu, nous apprenons que ces techniques et ces moyens de défense, qui nous ont permis de survivre pendant une enfance et une adolescence perturbées, ne sont pas efficaces lorsqu'à l'âge adulte nous voulons réussir nos relations intimes. La frustration accumulée à la suite de mauvais traitements, la souffrance née de la codépendance, l'échec des relations intimes nous poussent — parfois nous forcent — à chercher ailleurs des méthodes plus efficaces. Une telle recherche peut déclencher notre rétablissement.

Selon Gravitz et Bowden (1985), la recouvrance des enfants-adultes de parents alcooliques se déroule en six étapes : (1) la survie; (2) l'émergence de la conscience; (3) les questions fondamentales; (4) les transformations; (5) l'intégration; et (6) la genèse (ou spiritualité). Ces étapes s'accomplissent parallèlement aux quatre métamorphoses de la vie dont parle Ferguson (1980) et aux trois stades de la quête du héros de la mythologie classique dont font état Campbell (1946) et ses collègues. Nous pouvons clarifier et résumer les similitudes de chacune des démarches comme montré à la page suivante.

Chaque étape est utile à la réhabilitation de l'Enfant en soi. C'est souvent après coup que l'on identifie chacune des étapes, et nous n'en avons pas nécessairement conscience lorsque nous en franchissons une. Voilà pourquoi il est conseillé de se choisir un parrain, un guide, un conseiller ou un thérapeute pour nous accompagner durant ce cheminement. Je recommande une thérapie de groupe basée sur les principes du mouvement des enfants-adultes d'alcooliques (EADA), qui peut s'avérer particulièrement efficace.

Survie

↓

Émergence de la conscience	Éveil	Séparation
↓	↓	↓
Questions fondamentales	Exploration	Initiation
↓		
Transformations		
↓	↓	↓
Intégration	Intégration	Retour
↓	↓	
Genèse (spiritualité)	Être	

| (Point de vue de la réhabilitation des EADA, Gravitz, Bowden, 1985) | (Point de vue de la transformation, Ferguson, 1980) | (Point de vue classique, Campbell, 1946) |

L'éveil (ou l'émergence de la conscience)

L'éveil se produit lorsque nous nous rendons compte que la réalité diffère de notre propre perception. L'éveil est un processus qui se poursuit tout au long de la recouvrance. Au départ, il faut d'ordinaire un *point d'entrée*, un élément déclencheur, quelque chose qui secoue nos anciennes idées sur les choses, nos croyances, notre version de la réalité (Ferguson, 1980; Whitfield, 1985).

Mais notre Moi véritable se cache tellement et notre faux moi est tellement en évidence que cet éveil se manifeste difficilement. Néanmoins, il survient souvent. J'en ai été témoin auprès de centaines d'enfants victimes de traumatisme. Le facteur déclencheur ou point d'entrée peut faire partie d'une vaste gamme, comme l'écoute d'une personne qui témoigne de sa propre recouvrance et de son Moi véritable, ou le fait d'« en avoir ras le bol » de souffrir, ou d'avoir entrepris sérieusement une thérapie visant à résoudre un autre problème dans notre vie. Chez d'autres, ce peut être le fait d'assister à des réunions d'entraide ou à des séances de formation, ou encore des lectures ou le témoignage d'un ami.

À cette étape, souvent nous commençons à vivre la confusion, la peur, l'enthousiasme, l'excitation, la tristesse, l'insensibilité et la colère. Cela signifie que nous recommençons à *ressentir* nos sentiments. Nous reprenons contact avec celui ou celle que nous sommes vraiment, c'est-à-dire notre Enfant intérieur, notre Moi véritable. À ce moment, certaines personnes reculent et renoncent à poursuivre l'expérience, trouvant qu'il est plus aisé et plus « confortable » de se replier sur leur faux moi (ou moi codépendant). Ils retombent dans la codépendance, puisque leurs sentiments les effraient.

Les alcooliques, les personnes dépendantes des substances chimiques, les êtres dépendants d'un autre comportement improductif (par exemple les joueurs compulsifs ou les outremangeurs) peuvent faire une rechute. Ou ils peuvent favoriser une autre forme de comportement compulsif fondé sur la honte, par exemple dépenser l'argent qu'ils ne possèdent pas. Mais cet éveil peut devenir l'occasion de prendre un risque et de plonger en soi afin de découvrir notre Moi profond, notre vitalité et éventuellement notre bonheur.

Chercher de l'aide

À ce stade, il est préférable de trouver un parrain, un conseiller ou un thérapeute qui nous aidera à découvrir notre Enfant intérieur en vue de l'aider à se rétablir. La personne en recouvrance est alors tellement vulnérable, souvent confrontée à sa propre confusion, à ses craintes, à son enthousiasme ou à sa résistance face à sa recouvrance qu'elle peut trouver un parrain ou un praticien qui lui-même *n'a pas* fait une démarche pour *rétablir son Enfant intérieur*. Si ce parrain ne peut combler lui-même ses propres besoins, il risque d'utiliser cette personne dont l'éveil est récent pour compenser ses propres besoins. Comme résultat, ce patient, ce client, cet étudiant ou cette victime pourrait alors vivre un nouveau traumatisme ainsi que le cercle vicieux d'un retour au faux moi (Miller, 1983; Jacoby, 1984).

QUELQUES LIGNES DIRECTRICES

Voici quelques conseils en vue de trouver un parrain, un thérapeute ou un conseiller utile plutôt que nuisible. Il convient de chercher une personne qui répond aux critères suivants :

1. Est doté d'une formation et d'une expérience véri-
fiables; par exemple, un clinicien ou un thérapeute
possédant l'expérience requise pour aider les gens
à croître sur les plans mental, émotionnel et spirituel, et efficace à venir en aide aux personnes ayant
des problèmes ou troubles spécifiques, comme
l'enfant-adulte issu d'une famille perturbée ou minée par l'alcoolisme.

2. Ne porte pas de jugement catégorique, n'est pas
rigide ni dogmatique.

3. Ne promet jamais une solution rapide aux problèmes.

4. Fait preuve de suffisamment de fermeté pour obli-
ger ses patients à poursuivre leur travail de reconstruction intérieure, tout en leur manifestant de
l'attachement et en ayant à cœur la réussite de leur
recouvrance.

5. Répond à *quelques-uns* des besoins de ses patients
durant la séance de thérapie (écoute, reflet, écho,
sécurité, respect, compréhension et acceptation de
leurs sentiments).

6. Encourage ses patients à trouver d'*autres* recours
que la séance de thérapie pour satisfaire sainement
leurs besoins.

7. A suffisamment progressé sur la voie du rétablissement de son propre Enfant intérieur.

8. Ne se sert pas de ses patients pour satisfaire ses
propres besoins (cela peut être difficile à déceler).

9. Inspire confiance et est relativement à l'aise avec
ses patients.

Parfois un ami peut posséder nombre de ces qualités. Cependant un parent ou un ami n'a pas l'obligation de nous écouter en nous prêtant toute son attention, et n'a généralement pas reçu de formation pertinente. Les parents et les amis peuvent souhaiter notre présence pour combler leurs besoins, quelquefois de manière malsaine ou négative. *Certains* parents ou amis en viendront — souvent inconsciemment — à nous trahir ou à nous rejeter. Nous pourrons alors nous sentir comme « empoisonnés » ou même avoir l'impression de perdre la raison. La compagnie de personnes dont les conflits intérieurs demeurent irrésolus n'est pas sans danger. Mieux vaut les éviter.

Il vous faudra probablement du temps avant que le processus de thérapie et de recouvrance ne vous inspire assez confiance pour que vous *risquiez* de commencer à révéler votre Moi véritable. Accordez-vous ce temps. Pour certains, il faudra quelques semaines; pour d'autres, il faudra compter plus d'une année. Il importe que vous confiiez sans retenue ces craintes à votre thérapeute. Un tel geste rompt l'ensemble structurel du déni de vos sentiments appris tôt dans l'enfance.

À mesure que s'instaure la confiance, vous pourrez risquer de parler de vos secrets, de vos peurs, de vos inquiétudes les plus intimes. Dans mon ouvrage intitulé *Alcoolism and Spirituality*, j'ai décrit le pouvoir bienfaisant du témoignage de ce que nous avons vécu; et d'autres en ont aussi parlé (Hillman, 1983). Que l'on fasse une thérapie individuelle ou de groupe, il importe de se raconter, même si au début il nous arrive de bégayer ou de parler de manière décousue. N'hésitez pas à demander à votre conseiller, à votre thérapeute, à votre chef de groupe ou à un camarade de vous livrer leur réaction sur votre témoignage. Peu importe le type de thérapie que l'on choisit, il est très utile d'effectuer un travail sur soi, *en dehors* des séances. On peut se questionner, réfléchir, explorer diverses avenues et possibilités; on peut tenir un journal, raconter ses rêves à des gens en qui nous avons confiance, ou résoudre ses conflits avec d'autres personnes.

En définitive, si vous parlez de vous-même à d'autres personnes, il est bon de s'habituer à être plus clair et plus précis, surtout si on appartient à un groupe de thérapie ou d'entraide.

Dans le domaine de la relation d'aide, il est généralement reconnu que pendant les séances de thérapie l'on adopte le même comportement qu'à l'extérieur du groupe. Il serait utile de demander à votre thérapeute ou à votre groupe comment vous vous en tirez dans ce domaine.

Enfin, il faut s'intéresser à la question du *transfert*, qui inclut vos sentiments et vos conflits par rapport au conseiller, au thérapeute ou au groupe (Jacoby, 1984). Prenez le risque d'exprimer vos émotions, même si c'est de la colère, de la honte, de la culpabilité, peu importe si de prime abord cela vous paraît peu important. Répétez-vous que vos sentiments sont légitimes, et ce, malgré votre crainte, qu'ils soient négatifs ou injustifiés.

Lorsque vous vous sentez suffisamment confiant pour vous révéler durant votre recouvrance, vous êtes généralement prêt à entreprendre un travail conscient sur certains *problèmes fondamentaux qui vous concernent.*

Chapitre 9

S'ouvrir aux questions reliées aux fondements mêmes de l'être

J'entends par *question* tout conflit, préoccupation ou problème potentiel non résolu — qu'ils soient conscients ou inconscients — concernant nos besoins, nos actions et qui nécessitent une intervention ou une transformation.

Le rétablissement de l'Enfant en soi repose sur au moins quatorze *questions fondamentales*, dont huit ont été décrites par des cliniciens et des auteurs, notamment Gravitz et Bowden (1985), Cermak et Brown (1982) et Fischer (1985). Ces questions fondamentales sont : le contrôle, la confiance, les sentiments, la responsabilisation excessive, la négligence de ses propres besoins, un comportement et une manière de penser extrémistes, un seuil de tolérance élevé face aux comportements inconvenants et une piètre estime de soi, auxquels j'ai moi-même ajouté : être vrai, s'affliger de ses pertes non assumées, craindre l'abandon, résoudre difficilement les conflits, avoir du mal à recevoir et à rendre l'amour.

À mesure que surgissent les problèmes, les inquiétudes, les conflits ou les schèmes, nous pouvons les confier à une personne choisie, en qui nous avons confiance et qui peut nous soutenir. De prime abord, il peut être difficile de déterminer quelle question fondamentale nous concerne. Ce ne sont pas des questions existentielles, mais plutôt des problèmes quotidiens. Toutefois, après avoir longuement réfléchi et exploré nos sentiments, nous finissons par identifier ce problème qui nous concerne. Cette prise de conscience nous aidera à nous libérer progressivement de notre confusion, de notre mécontentement et des schèmes de vie négatifs inconscients, répétés et compulsifs.

Comportement et manière de penser tout ou rien

Les thérapeutes nomment *dédoublement* cette réaction défensive de l'ego qui nous pousse à agir ou à penser en nous faisant passer d'un extrême à l'autre. Par exemple, nous pouvons aimer quelqu'un à la folie ou le haïr, sans nuancer nos sentiments. Nous percevons les gens comme bons ou méchants, sans tenir compte des nuances qui teintent la réalité. Nous nous jugeons nous-mêmes de manière aussi implacable. Plus nous pensons de cette façon, plus nous nous *comportons* de façon extrémiste, ce qui nous attire des ennuis et nous cause des souffrances inutiles.

Nous pouvons être attirés par des gens qui pensent et agissent de manière extrémiste mais leur fréquentation tend à nous attirer d'autres ennuis et souffrances.

Le tableau 3 énumère les différents troubles parentaux associés à la dynamique des enfants-adultes de parents alcooliques, et à celle des enfants-adultes issus d'autres types de familles dysfonctionnelles. Si un schème de pensée *tout ou rien* peut apparaître dans n'importe lequel de ces troubles, on le retrouve surtout chez les parents qui pratiquent l'intégrisme religieux. Ils sont souvent rigides, punitifs, perfectionnistes et ils portent des jugements catégoriques. Ils évoluent au sein d'un système fondé sur la honte, qui tente de masquer sinon de détruire le Moi véritable.

Le schème de pensée *tout ou rien* ressemble à celui de l'alcoolisme, de la toxicomanie, de la codépendance, et des autres dépendances ou autres formes d'attachement actives, puisqu'il limite nos possibilités et nos choix de manière brutale et irréaliste. De telles contraintes étouffent notre créativité et répriment notre croissance dans notre vie de tous les jours.

En cours de recouvrance, nous apprenons que la plupart des choses de notre vie ne relèvent pas des extrêmes ou du « tout ou rien », *et ceci inclut notre rétablissement*. La vie se déroule dans une infinité de nuances de gris, bien plus souvent dans un équilibre qui rejoint le centre — un « 3, 4, 5, 6 ou 7 » et *non* un « 0 » ou un « 10 ».

Le contrôle

Le contrôle est sans doute le problème fondamental dans notre vie. Peu importe ce que nous croyons devoir contrôler, qu'il s'agisse du comportement d'autrui, du nôtre ou de toute autre chose, le moi codépendant tend à s'accrocher à cette idée de contrôle et ne veut plus lâcher prise. Il en résulte souvent de la souffrance, de la confusion et de la frustration.

En fin de compte, nous ne pouvons pas contrôler la vie, alors plus on tente de le faire, plus nous sentons que nous perdons cette maîtrise à force d'y porter trop d'attention. Très souvent, quelqu'un qui estime avoir *perdu* ce contrôle devient obsédé par le besoin de contrôler.

L'*attachement* est une autre forme de contrôle. Certains sages ont découvert que l'attachement, comme le besoin de contrôler, est à l'origine de la souffrance. Bien sûr, cette dernière est un élément indissociable de la vie. Tous nous devons souffrir avant de trouver des solutions de rechange. La souffrance peut nous indiquer la voie à suivre vers la paix intérieure. Une autre possibilité s'offre à nous : le renoncement, c'est-à-dire que nous renonçons au moi codépendant et à notre volonté de tout contrôler.

Peu à peu, nous découvrons que l'un des moyens les plus puissants et les plus susceptibles de provoquer notre rétablissement est justement d'abandonner ce besoin de tout contrôler. Cette liberté est celle du Moi véritable, de l'Enfant en soi. Dans ce contexte, « lâcher prise » ne signifie pas de renoncer ou de s'avouer vaincu au sens militaire du terme. Nous voulons plutôt dire que celui qui se rend *sort vainqueur* de ce combat qui l'oblige à tout contrôler, et qu'il évite ainsi les souffrances inutiles qui en résultent (Whitfield, 1985). C'est un processus continu qui se déroule toute la vie durant. Ce n'est pas un objectif à atteindre une fois pour toutes.

Ce besoin de tout « contrôler » est étroitement lié à plusieurs autres questions fondamentales, par exemple la volonté, la crainte de perdre le contrôle, la dépendance alternant avec l'indépendance, la confiance, l'expression des émotions — en particulier la colère — l'estime de soi et la honte, la spontanéité, la prise en charge, l'attitude du « tout ou rien », les attentes envers soi-même et envers les autres. La plupart des gens n'ont jamais fait face à ces questions existentielles, pourtant ils croient les avoir surmontées et ils pensent avoir contrôlé l'ensemble des facettes de leur vie. Pis encore, ils croient pouvoir contrôler *la vie même*.

Il est difficile de reconnaître que *l'on ne peut contrôler la vie*. La vie est un mystérieux et puissant processus qui poursuit son chemin, quoi que nous fassions. La vie ne peut être contrôlée, car elle est bien trop riche, trop spontanée, trop exubérante pour que nous puissions en saisir tous les aspects, encore moins exercer sur eux quelque contrôle, ne serait-ce que par la pensée, l'ego ou l'esprit (Cermak, 1985).

On peut alors entrevoir une issue, une façon de se libérer de la souffrance résultant du besoin de tout contrôler. Elle consiste à « rendre les armes » et à devenir peu à peu un *cocréateur* de sa vie. Je décris le processus de cocréation dans mon livre *Alcoholism and Spirituality*. Ici entre en jeu la dimension spirituelle, une aide puissante à la recouvrance intérieure. Il peut être avantageux pour nous de participer aux réunions de groupes d'entraide tels que les AA, Al-Anon, Narcotiques Anonymes et Outremangeurs Anonymes. D'autres cheminements spirituels peuvent aussi nous être utiles.

Lorsque nous demandons de l'aide à des personnes importantes et que nous lâchons prise, nous travaillons à résoudre ces problèmes reliés au contrôle. Ainsi, nous commençons à découvrir notre Moi véritable et à nous sentir encore plus vivants.

LA RESPONSABILISATION EXCESSIVE

Beaucoup d'entre nous qui ont grandi au sein de familles perturbées ou dysfonctionnelles ont appris à devenir exagérément responsables. Cela semblait souvent la seule manière d'échapper à nos sentiments douloureux, comme la colère, la peur et la souffrance. Cette responsabilisation à outrance nous donnait l'impression de maîtriser la situation, Mais ce qui semblait fonctionner à ce moment-là ne fonctionne plus toujours bien à présent.

L'un de mes patients âgé de 40 ans me confiait qu'à son travail il acquiesçait à tout ce qu'on lui demandait, et cela le faisait beaucoup souffrir. Il a effectué un travail sur lui-même pendant deux années de thérapie collective. Il a suivi un cours sur la façon de faire valoir ses droits, il a appris à dire « non » et à ne pas faire ce qu'on tentait de lui imposer. Il apprenait ainsi à connaître son Moi véritable, son Enfant intérieur.

À l'opposé, d'autres peuvent se montrer irresponsables, passifs et s'estimer des victimes. Ils auraient intérêt à travailler sur ces questions, entre autres apprendre à faire valoir leurs droits.

LA NÉGLIGENCE DE SES PROPRES BESOINS

La négligence ou le déni de ses besoins est étroitement relié à la responsabilisation excessive. Ces deux éléments relèvent de notre faux moi. Il serait peut-être utile de relire ici le quatrième chapitre de cet ouvrage. Certaines personnes pourraient peut-être trouver profitable de copier le tableau 2, qui énumère quelques-uns des besoins de l'être humain. Pourquoi ne pas l'afficher là où elles pourraient souvent le consulter, ou même le porter sur elles!

Par l'observation et un travail sur nous-même, nous pouvons commencer à identifier les personnes et les endroits susceptibles de nous aider à combler ces besoins. Au fur et à mesure que ceux-ci sont comblés, nous découvrons une vérité fondamentale : *nous* sommes la personne la plus influente, la plus efficace et la plus puissante qui puisse nous aider à obtenir ce que nous voulons. Plus nous nous en rendons compte, plus nous sommes capables de nous interroger sur nos besoins, les définir et voir à les satisfaire. Alors notre Enfant intérieur s'éveille, s'épanouit, se développe et devient créateur. Virginia Satir a écrit : « Nous devons nous voir comme des miracles et des êtres dignes de recevoir l'amour. »

UNE GRANDE TOLÉRANCE ENVERS UN COMPORTEMENT INCONVENANT

Les enfants issus de familles perturbées ou dysfonctionnelles grandissent sans savoir ce qui est normal, sain ou convenable. Privés de tout point de référence qui pourrait les aider à évaluer la réalité, ils ont vécu dans leur famille et dans leur vie l'inconstance, les traumatismes et la souffrance, et ils croient que c'est la norme.

En fait, en acceptant ce rôle du faux moi — que les familles perturbées, les amis et le milieu de travail ont tendance à valoriser — nous devenons assujettis à ce rôle et nous ne nous rendons plus compte qu'il existe d'autres manières d'être.

En cours de recouvrance, sous la supervision éclairée de personnes compétentes auprès desquelles nous nous sentons en sécurité, nous apprenons progressivement ce qui est sain et ce qui est convenable. D'autres questions surgissent alors, par exemple la responsabilisation excessive, la négligence de ses propres besoins, sentiments, limites personnelles ainsi que la honte et la piètre estime de soi.

Tim, un célibataire de 30 ans, avait déjà passé deux mois dans notre groupe de thérapie lorsqu'il nous confia : « Quand j'étais gamin, je me croyais obligé d'écouter les divagations de mon père et de subir son comportement lorsqu'il buvait, c'est-à-dire chaque soir et presque chaque week-end. Lorsque je tentais de m'en éloigner, je me sentais coupable et ma mère en rajoutait en me sermonnant sur mon égoïsme. Encore aujourd'hui, je laisse les autres me maltraiter, certains peuvent même m'écraser. J'ai pensé que quelque chose ne tournait pas rond chez moi jusqu'au jour où j'ai entendu parler des enfants-adultes issus de familles perturbées par l'alcoolisme. J'ai commencé à lire sur le sujet et à participer à des séances. » Tim apprend à connaître sa propre tolérance aux comportements inconvenants des autres et il commence à se libérer de cette forme souvent subtile de mauvais traitement.

La peur de l'abandon

La peur de l'abandon remonte aux premières secondes, aux premières minutes ou aux premières heures de notre existence. Reliée à des questions de confiance ou de méfiance, cette peur est souvent exagérée chez les enfants qui ont grandi dans des familles perturbées ou dysfonctionnelles. Donc, pour la contrer, nous devenons méfiants, nous étouffons nos sentiments pour ne pas ressentir la douleur.

Quelques-uns de mes patients ont avoué que — comme mesure disciplinaire — leurs parents les avaient *menacés* de les abandonner alors qu'ils étaient bébé ou jeune enfant. C'est une cruauté et un traumatisme qui, pour certains, peuvent sembler bénins, bien que selon moi il s'agisse d'une forme voilée de mauvais traitements infligés à un enfant.

Juan, 34 ans, divorcé, auteur à succès, avait grandi dans une famille perturbée et dysfonctionnelle. Devant le groupe, il s'est confié. « Je me souviens de peu de choses avant l'âge de cinq ans, mais c'est alors que mon père nous a subitement laissé tomber, ma mère, ma plus jeune sœur et moi. Il a raconté à ma mère qu'il avait trouvé un emploi dans l'Ouest et qu'il reviendrait. Mais il ne nous l'a pas dit, à nous les enfants. De plus, ma mère m'a envoyé habiter chez une tante à près de 1000 kilomètres de chez nous, sans m'en expliquer la raison. J'ai dû être consterné! Mais je l'ai dénié jusqu'à aujourd'hui. Depuis quelques mois, je retrouve mes émotions d'alors : non seulement mon abruti de père m'avait abandonné, mais en plus ma mère m'avait rejeté! Le petit garçon que j'étais a dû grandement en souffrir en silence. C'est seulement maintenant que je commence à en éprouver de la colère. » Lors d'une séance ultérieure, il a ajouté : « J'ai appris à me protéger des gens qui pourraient m'abandonner en ne me liant pas trop avec eux. J'ai développé des relations plus intimes avec certaines femmes mais, au moindre conflit qui perdurait, je les quittais immédiatement. Je me rends compte à présent que je les abandonnais avant qu'elles ne puissent me quitter. » Juan poursuit sa réflexion sur ses sentiments de douleur et de colère en faisant face à l'importante question de l'abandon.

LA DIFFICULTÉ À TRAITER ET À RÉSOUDRE LES CONFLITS

Cette difficulté à traiter et à résoudre les conflits constitue un élément majeur du cheminement des enfants-adultes vers la réhabilitation, car elle touche et elle interagit sur les autres questions liées aux fondements de l'être.

Le fait de grandir dans une famille dysfonctionnelle nous enseigne à éviter les conflits lorsque c'est possible. Lorsqu'il en surgit un, nous apprenons surtout à nous en éloigner de quelque manière que ce soit. Parfois nous nous montrons agressifs et nous tentons de dominer ceux avec qui nous sommes en conflit. Lorsque ces techniques ne suffisent pas, nous devenons sournois et manipulateurs. Dans un milieu dysfonctionnel, ces méthodes peuvent concourir à la survie. Mais elles ne fonctionnent pas dans une relation interpersonnelle saine.

La recouvrance — rétablir notre Enfant intérieur — repose sur la découverte de conflits successifs, et du travail que l'on effectue sur chacun d'entre eux. Toutefois, la crainte et les autres sentiments douloureux qui surgissent lorsqu'on aborde ces questions de plus près peuvent être trop difficiles à vivre pour certains d'entre nous. Plutôt que d'attaquer de front cette douleur et ce conflit, nous pouvons revenir aux anciennes méthodes et se dire que l'on peut se passer d'aide extérieure. Mais cette solution n'a jusqu'à présent rien produit de bon.

Joanne, 40 ans, participait depuis sept mois à une thérapie de groupe réunissant des enfants-adultes issus de familles perturbées ou dysfonctionnelles. Elle tentait de dominer le groupe. Lorsque Ken s'est joint à nous, il a essayé de s'imposer, d'affronter Joanne, parfois en se montrant suffisamment agressif pour lui causer des difficultés ou des frustrations en agissant de manière aussi dominatrice qu'elle. Après plusieurs altercations, Joanne a annoncé qu'elle avait décidé de quitter le groupe. À la suite d'une étude exploratoire réalisée par le groupe, le conflit opposant Johanne et Ken fut dévoilé. Mon adjoint et moi avons dit : « Joanne, Ken et tous les autres, vous vivez un moment crucial de votre rétablissement. Vous vous trouvez en plein milieu d'un conflit *important*. Vous avez l'occasion ici et maintenant, puisque vous pouvez vous y sentir en confiance, de travailler à résoudre un problème fondamental pour chacun de vous. Par le passé, comment avez-vous déjà résolu un conflit ? »

Les membres se sont rendu compte qu'ils avaient souvent fui le conflit, ou qu'ils étaient devenus agressifs ou manipulateurs. Pourtant cette fuite ne leur avait rien apporté. L'un d'entre eux a dit alors à Joanne : « Vous avez vraiment de la chance de pouvoir résoudre ce conflit. J'espère que vous ne partirez pas. » Elle a répondu qu'elle y réfléchirait et est revenue la semaine suivante nous apprendre qu'elle demeurait au sein du groupe.

Elle a reproché au groupe de ne pas l'avoir écoutée et soutenue depuis que Ken s'était joint à eux. Elle révéla également qu'elle avait toujours éprouvé de la difficulté à reconnaître ses besoins et à les satisfaire. De plus, elle ne s'était jamais sentie aimée et appréciée de ses parents. Joanne, Ken et le groupe firent face à leur conflit et, après plusieurs séances, ils arrivèrent à le résoudre.

En faisant face à un conflit et en le résolvant, nous reconnaissons d'abord qu'il y a effectivement conflit. Si nous nous sentons en sécurité, nous courons le risque de révéler nos inquiétudes, nos sentiments, nos besoins. En travaillant à résoudre les conflits, nous apprenons de plus en plus à identifier et à résoudre nos conflits antérieurs et ceux qui surviennent ensuite. Il faut du courage pour reconnaître et résoudre un conflit.

S'OUVRIR AUX QUESTIONS FONDAMENTALES

En cours de recouvrance, nous commençons à répertorier, à partir des profondeurs du Moi véritable, les expériences et les craintes liées à l'abandon. En confiant nos sentiments, nos préoccupations, nos confusions et nos conflits à des proches qui nous soutiennent et qui nous acceptent tels que nous sommes, nous élaborons un récit qu'autrement nous n'aurions pas pu formuler. Les autres apprennent certainement beaucoup en écoutant notre témoignage mais, plus que tout, notre récit nous est particulièrement bénéfique parce que *nous l'entendons* également. Avant de raconter notre histoire, nous ignorions quelle forme elle prendrait.

Quels que soient la préoccupation, le problème ou la question que nous souhaitons résoudre, nous devons d'abord prendre le risque de nous ouvrir à des personnes auprès desquelles nous nous sentons en sécurité afin de nous libérer du fardeau inutile qu'impose le mutisme. En racontant notre histoire avec notre cœur, avec nos tripes, avec notre Moi véritable, nous découvrons la vérité sur nous-même. Agir ainsi constitue le premier pas vers la guérison.

Souvent, lorsqu'au début de notre recouvrance surgissent des questions fondamentales, le moi codépendant les dissimule en fait, et il crée d'autres déguisements et d'autres masques. Il est donc important d'apprendre à reconnaître les questions fondamentales aussitôt qu'elles surgissent. Confier ses inquiétudes à des gens en qui nous avons confiance offre l'avantage, entre autres, de révéler et de clarifier ces questions.

LES AUTRES QUESTIONS

Parmi les autres questions fondamentales reliées à la recouvrance, au sixième chapitre j'ai déjà parlé de la piètre estime de soi et de la honte. Tout au long de cet ouvrage, il sera question d'authenticité, d'affliction et de résolution des conflits.

SOULEVER LES QUESTIONS FONDAMENTALES

Nombre de situations peuvent provoquer l'émergence de questions fondamentales; elles peuvent les activer et les intégrer ouvertement à la vie courante. Les *liens intimes* comptent parmi ces situations, où deux individus osent révéler l'un à l'autre leur Moi véritable. En nouant une relation intime, nous partageons des parties de nous-même rarement partagées avec d'autres. Un tel partage soulève des questions comme la confiance, les sentiments et la responsabilité. Le rétablissement nous fournit certes l'occasion de nouer beaucoup de relations intimes, mais la relation avec le conseiller, le thérapeute ou les membres du groupe peut provoquer et provoque l'émergence d'un grand nombre de questions. Afin d'y faire face de manière constructive, nous devons être le plus vrai possible. Nous devons nous abandonner, accorder notre confiance, apprendre à risquer et à participer, et chacun de ces gestes est potentiellement terrifiant.

D'autres situations déclenchent ou font émerger ces problèmes enfouis depuis longtemps, tels les *transitions de la vie* (Levin, 1980), les *exigences* de *rendement* (travail, foyer, loisirs) et tout spécialement les *visites chez nos parents* (Gravitz, Bowden, 1985). Lorsque ces sentiments, ces frustrations, ces questions existentielles refont surface, nous commençons peu à peu à nous libérer si nous faisons preuve d'honnêteté, si nous partageons notre Moi véritable avec ceux qui méritent notre confiance.

Chapitre 10

Identifier nos sentiments et en prendre conscience

Dans ce processus de recouvrance de notre Enfant intérieur, il est important de prendre conscience de nos sentiments et d'y faire face de manière constructive.

Ceux ou celles qui ont grandi dans des familles perturbées ou dysfonctionnelles ne cherchent pas à combler leurs besoins. Ces besoins insatisfaits se transforment en souffrances et nos sentiments deviennent douloureux. Étant donné que les parents — et les autres membres de telles familles — ont eux-mêmes tendance à ne pas pouvoir nous écouter et nous soutenir, en plus de n'être pas capables de nous prodiguer des soins, de nous accepter et de nous respecter, nous n'avons souvent personne avec qui partager ces sentiments. La douleur affective devient si cuisante que nous nous protégeons contre nos émotions en recourant aux différents mécanismes de défense négatifs décrits dans le chapitre 8. Nous empêchons ainsi nos émotions d'atteindre notre conscience. Nous pouvons survivre, mais à quel prix? Nous nous insensibilisons, nous nous éloignons de nous-même, nous feignons. Nous devenons codépendant.

Lorsque nous ne sommes pas notre Moi véritable, nous ne grandissons pas sur les plans mental, émotionnel et spirituel. Non seulement nous sentons-nous étouffé et inerte, mais également frustré et confus, et nous nous cantonnons dans un rôle de victime. Nous sommes *inconscient* de notre Moi dans sa totalité et nous avons l'impression que les autres, le « système » et le monde entier nous en veulent, que nous sommes leur victime, que nous sommes à leur merci.

Il nous est possible d'échapper aux souffrances inhérentes à ce rôle de victime en identifiant nos sentiments et en les vivant pleinement. La meilleure façon de le faire est d'en *parler* à des personnes qui nous soutiennent et en qui nous avons confiance.

Bill était âgé de 36 ans. Il avait réussi sa vie professionnelle, mais non ses relations intimes. Un jour, parlant devant son groupe de thérapie, il confia : « Je détestais mes sentiments et aussi le fait de toujours devoir en parler ici. Depuis deux ans que je fréquente ce groupe, je commence à comprendre l'importance de mes émotions et même à les *apprécier*, même si certaines sont douloureuses. Tout compte fait, je me sens plus vivant lorsque je ressens mes émotions. »

Nous n'avons pas besoin de tout connaître de nos sentiments. Nous devons simplement prendre conscience de leur importance et savoir qu'ils sont tous éprouvés par chacun d'entre nous. Nous devons comprendre qu'il est sain de commencer à les connaître et d'en parler ouvertement. Nos sentiments peuvent être nos amis; si nous savons les maîtriser, ils ne nous trahiront pas; nous ne perdrons pas le contrôle, nous ne serons ni envahi ni submergé, comme nous le craignons.

Nos sentiments constituent notre image de nous-même, notre réaction au monde qui nous entoure, notre manière de nous sentir vivant (Viscott, 1976). Nous n'avons pas vraiment conscience de la vie si nous n'avons pas conscience de nos sentiments. Ils traduisent notre expérience et ils nous informent si celle-ci est bonne ou mauvaise. Les sentiments sont notre lien le plus utile dans notre relation avec nous-même, avec les autres et avec le monde qui nous entoure.

La gamme des sentiments

Nous ressentons deux sortes de sentiments ou d'émotions — heureux ou malheureux. Avec les premiers, nous ressentons une sorte de force, de bien-être; nous avons l'impression de nous réaliser. Les seconds dérangent ce bien-être, épuisent notre énergie, et nous nous sentons las, vide et seul. Mais même s'ils sont douloureux, ils nous parlent, ils nous informent que quelque chose d'important est arrivé et mérite toute notre attention.

Nous avons avantage à être conscient de nos sentiments et, au fil des jours, à mesure qu'ils surviennent spontanément d'un instant à un autre, à les ressentir comme une vague qui déferle naturellement en nous. Nos sentiments nous mettent en garde en même temps qu'ils nous rassurent. Ils sont en quelque sorte des indicateurs qui nous informent de notre état à un moment précis et pendant une période donnée. Grâce à eux, nous avons l'impression de maîtriser la situation et d'être vivant.

Notre Moi véritable ressent *et* la joie *et* la douleur. Il les exprime et les partage avec d'autres personnes qui savent les recevoir. Mais notre faux moi (ou moi codépendant) a surtout tendance à nous pousser vers des sentiments douloureux qu'il faut réprimer et ne pas partager.

Pour simplifier, nous pouvons décrire ces sentiments heureux et malheureux suivant une progression, partant du plus joyeux au plus triste, comme nous l'indique le diagramme suivant :

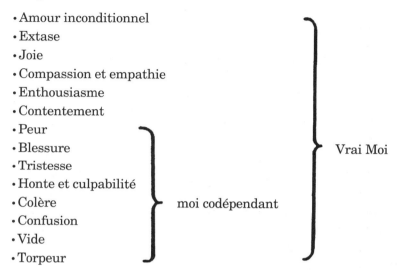

- Amour inconditionnel
- Extase
- Joie
- Compassion et empathie
- Enthousiasme
- Contentement
- Peur
- Blessure
- Tristesse
- Honte et culpabilité
- Colère   } moi codépendant
- Confusion
- Vide
- Torpeur

} Vrai Moi

Si nous considérons nos sentiments de cette façon, nous constatons qu'une gamme de possibilités, beaucoup plus importante que nous ne l'aurions cru, est offerte à notre Moi véritable, à notre Enfant intérieur. Le maintien et la croissance de cet Enfant en soi sont associés avec ce que les psychothérapeutes qualifient d'« ego fort », c'est-à-dire un ego créatif et flexible qui peut s'adapter aux contrecoups de la vie. Au contraire, le moi codépendant a tendance à se limiter et à réagir surtout aux sentiments pénibles ou à s'insensibiliser. Notre moi codépendant s'associe habituellement avec un ego faible, qui est moins flexible, plus axé sur lui-même (négatif ou égocentrique) et plus rigide. Afin de dissimuler la douleur, nous avons recours à des réactions défensives plutôt malsaines qui restreignent les possibilités de choix dans notre vie.

Niveaux de conscience relatifs aux sentiments

Afin de survivre, une personne qui grandit ou qui vit présentement au sein d'une famille perturbée tend à se limiter aux sentiments provenant du moi codépendant. Dès que nous explorons nos sentiments et que nous en devenons plus conscient, nous découvrons que ceux-ci se retrouvent à différents niveaux de conscience.

Le retrait face aux sentiments

Lorsque nous ne pouvons ressentir un sentiment, nous nions la possibilité de l'utiliser pleinement (*cf.* tableau 8). Alors, non seulement nous *ne connaissons* pas le sentiment, mais nous sommes de plus incapable d'exprimer l'état de notre Moi véritable. Lorsque nous tenons des propos superficiels, même s'il s'agit de faits réels, nos interactions personnelles et notre capacité d'expérimenter et de croître sont faibles. Ce niveau de croissance et de partage de nos sentiments constitue le premier niveau.

Le début de l'exploration

Le deuxième niveau est celui de l'*exploration* des émotions et des sentiments. Nous éprouvons de la difficulté à partager ces sentiments nouvellement révélés, mais ils peuvent ressortir lors de discussions, déguisés en idées et en opinions plutôt qu'en émotions véritables. À ce stade, nos interactions personnelles et notre capacité de goûter la vie et de croître demeurent faibles, bien qu'elles prennent plus d'importance qu'au niveau précédent. Si la plupart d'entre nous *éprouvent* des sentiments et aimerions les exprimer, la majorité d'entre nous vivent sans prendre conscience de leurs sentiments et sans les partager, se limitant à évoluer entre les deux premiers niveaux de conscience. Le moi codépendant est habitué à cette utilisation limitée des sentiments.

L'EXPLORATION ET L'EXPÉRIMENTATION

À mesure que nous apprenons à connaître notre Moi véritable, nous commençons à explorer et à ressentir nos sentiments à un niveau plus profond, celui des « tripes ». À ce moment, nous devenons capable de nous confier aux autres et de leur dire comment nous nous sentons, dès que les sentiments apparaissent. De cette façon, nous développons nos relations interpersonnelles avec des personnes importantes à nos yeux et nous goûtons davantage la vie. Ce faisant, nous nous épanouissons sur tous les plans : mental, émotionnel et spirituel. Une fois atteint ce troisième niveau de conscience, nous devenons plus apte à entrer en relation plus *intime* avec une autre personne.

PARTAGER NOS SENTIMENTS

Partager nos sentiments avec une personne constitue cependant une arme à deux tranchants. D'abord, nous pouvons les partager avec quelqu'un qui ne souhaite pas pareilles confidences. Cette personne *elle-même* ne fonctionne peut-être qu'au premier ou au deuxième niveau de conscience, et se trouve ainsi dans l'incapacité de nous écouter. Ou bien elle peut *faire semblant* de nous écouter, tout en étant centrée sur ses propres préoccupations qui sont loin de ressembler aux nôtres. Pire, nous pouvons nous confier à quelqu'un qui ne nous soutient pas et en qui nous ne pouvons avoir confiance, et qui risque de nous rejeter ou de nous trahir. Le tableau (page suivante) illustre cette difficulté de partager ses sentiments.

Ken, 34 ans, était un vendeur prospère, qui avait grandi dans une famille dont le père et le frère étaient alcooliques actifs et dont la mère était codépendante. Il confia à son groupe de thérapie qu'il avait établi des limites à son frère en lui demandant de s'abstenir de boire et

Tableau 8. Niveaux de conscience et communication des sentiments, et quelques conseils concernant le partage (à partir de Dreitlein, 1984)

État affectif	Communication	Révélation de soi	Interaction interpersonnelle et aptitude à croître	Personnes à qui s'ouvrir de ses sentiments	
				Inappropriées	Appropriées
1. Fermé	· Propos superficiels faits rapportés	· Aucune · Faits évidents	· Aucune	· Triées sur le volet	· Tout le monde
2. Commence à explorer	· Idées et opinions visant à plaire aux autres	· Prudente · Accidentelle	· Peu	· Personnes qui n'écoutent pas	· Personnes qui écoutent
3. Explore et exprime	· Niveau « des tripes »	· Volonté · Ouverture	· Grande	· Personnes qui nous trahissent et qui nous rejettent	· Personnes en qui nous avons confiance et qui nous soutiennent
4. Ouvert, exprime et observe	· Optimale	· Complète lorsqu'elle améliore l'existence	· Maximale	· Personnes qui nous trahissent et qui nous rejettent	· Personnes en qui nous avons confiance et qui nous soutiennent

de consommer des stupéfiants lors d'une soirée d'anniversaire qu'il donnait chez lui. Lorsqu'on demanda à Ken ce qu'il ressentait devant la possibilité que son frère, fidèle à son habitude, gâche la fête en buvant trop, il répondit qu'il se sentait en mesure de faire face à la situation. Les membres du groupe lui demandèrent alors comment il se sentait *réellement*, et Ken offrit la même réponse en ajoutant qu'il aimerait obtenir la réaction du groupe. Le groupe continua à lui poser la même question. Peu à peu, Ken se rendit compte qu'il bloquait et refoulait sa colère, sa honte, sa frustration et sa confusion, ce qu'il avoua à ses camarades.

Ken profitait de la thérapie de groupe pour utiliser les membres comme un miroir, pour recevoir leur avis. Il fréquentait ce groupe depuis trois mois et il commençait à se sentir en confiance. C'était un endroit où il pouvait se permettre d'exprimer ses inquiétudes et sa confusion. Il utilisa ce groupe afin de découvrir une partie importante de son Moi véritable.

Lorsque nous partageons nos sentiments, il est important de le faire avec des gens en qui nous avons confiance et qui nous soutiennent. Dans les premiers temps de la recouvrance, quelqu'un qui a grandi dans une famille perturbée ou dysfonctionnelle peut avoir une telle envie de partager qu'il risque d'être rejeté, trahi ou embarrassé à force de parler de lui-même sans retenue. Il peut avoir de la difficulté à comprendre qu'il *ne convient pas de partager ses sentiments avec n'importe qui.*

Comment pouvons-nous savoir si quelqu'un mérite ou non notre confiance? Gravitz et Bowden (1985) proposent une technique basée sur le partage et la vérification. Lorsque nous éprouvons un sentiment et que nous voulons le partager, mais que nous ne savons pas si la personne choisie est la bonne personne, nous pouvons lui confier seulement une petite partie de ce sentiment. Puis nous attendons sa réaction. Si elle ne semble pas nous écouter, ou si elle nous juge ou nous conseille, nous pouvons décider de mettre fin aux confidences. Si elle tente d'invalider nos sentiments ou de les rejeter, et surtout si elle les trahit en les confiant à quelqu'un d'autre, ce n'est certainement pas une personne sûre, et nous devons arrêter les confidences. Si au contraire, elle *écoute*, elle nous soutient, elle ne réagit pas comme nous l'avons décrit précédemment, nous pouvons alors continuer à nous confier à elle. Certains indices confirment l'intérêt qu'une personne nous porte. Par exemple, si elle nous *regarde dans les yeux*, si elle nous semble *sympathique,* et si elle prend son temps et qu'elle *n'essaie pas* de nous faire *changer d'idée.* À long terme, cette personne sûre nous écoutera et nous soutiendra de manière constante, *sans nous rejeter ni nous trahir.*

Les groupes de thérapie et d'entraide, les conseillers, le thérapeute, les parrains, amis ou l'être cher fournissent les conditions favorables à l'écoute, au partage et à la vérification.

LA SPONTANÉITÉ ET L'OBSERVATION

À mesure que nous devenons plus à l'aise et plus apte à faire confiance à notre Moi véritable et aux autres, nous pouvons commencer à partager nos émotions de manière plus sélective et plus complète. En même temps que progresse et mûrit ce type de partage, nous pouvons de mieux en mieux *observer* nos émotions (quatrième niveau). Lorsque nous agissons de cette façon, nous découvrons un principe de puissance et de recouvrance qui se formule ainsi : *nous ne sommes pas nos émotions.* Elles sont certes utiles et parfois essentielles à notre survie : elles nous permettent de nous connaître et d'y trouver du plaisir, et nous pouvons simplement les observer. À ce moment, nous sommes en harmonie avec nos sentiments. Les émotions ne nous contrôlent pas ni ne nous dirigent. Dès que nous pénétrons un niveau plus avancé d'émotions, nous n'en sommes plus les victimes.

La transformation des sentiments

À chaque sentiment correspond son contraire (*cf.* tableau 9). À mesure que nous prenons conscience de nos sentiments douloureux ou négatifs, que nous ressentons chacun d'entre eux pour ensuite nous en libérer, nous pouvons les transformer en joie. Nous sommes alors reconnaissant de pouvoir faire naître de la joie à partir d'une douleur, de transformer en cadeau une malédiction.

Nos sentiments travaillent de concert avec la volonté et l'intellect, afin de nous aider à vivre et à grandir. Si nous les nions, les dénaturons, les réprimons ou les supprimons, nous faisons simplement obstacle à leur cheminement naturel. *Le blocage émotif peut entraîner la détresse et la maladie.* Au contraire, lorsque nous avons conscience de nos sentiments, lorsque nous les partageons, les acceptons pour ensuite nous en libérer, nous nous portons mieux et nous sommes capable d'expérimenter la sérénité, la paix intérieure qui est en réalité notre état naturel.

Il est essentiel de consacrer du temps à nos sentiments afin d'évoluer et de connaître le bonheur. Le seul moyen de surmonter une émotion douloureuse est de l'affronter.

Nos sentiments représentent la partie vitale d'une dynamique essentielle à notre croissance, par exemple l'affliction. Lorsque nous perdons quelque chose d'important à nos yeux, nous devons en *faire le deuil* afin de grandir par-delà cette peine.

Tableau 9. Quelques sentiments et leur contraire
(compilés à partir de Rose et *al.*, 1972)

Douloureux	Joyeux
• Peur	• Espoir
• Colère	• Affection
• Tristesse	• Joie
• Haine	• Amour
• Solitude	• Communauté
• Blessure	• Soulagement
• Ennui	• Engagement
• Frustration	• Contentement
• Infériorité	• Égalité
• Suspicion	• Confiance
• Répulsion	• Attirance
• Timidité	• Curiosité
• Confusion	• Clarté
• Rejet	• Soutien
• Insatisfaction	• Satisfaction
• Faiblesse	• Force
• Culpabilité	• Innocence
• Honte	• Fierté
• Vide	• Contentement
	• Plénitude

Chapitre 11

Le travail de deuil

Un traumatisme est une *perte*, qu'elle soit réelle ou appréhendée. Nous vivons une perte lorsque nous sommes privés de quelque chose que nous avions et à laquelle nous attachions de l'importance, quelque chose dont nous avions besoin, que nous désirions, auquel nous nous attendions.

Les pertes ou traumatismes mineurs sont si fréquents et si subtils que souvent nous ne les percevons pas comme tels. Pourtant, toute perte engendre de la souffrance ou de la tristesse, et cette succession de sentiments porte le nom de *deuil*. Lorsque nous nous permettons de *ressentir* ces sentiments douloureux, et lorsque nous *partageons* ce deuil avec des personnes en qui nous avons confiance et qui nous soutiennent, nous pouvons *mener ce deuil à terme* et ainsi nous en libérer.

Il faut du temps pour parachever ce deuil. Plus la perte est importante, plus il faut de temps pour s'en remettre. Lorsqu'il s'agit d'une perte mineure, quelques heures, quelques jours, peut-être quelques semaines suffiront. Si la perte est de moyenne importance, le travail de guérison peut s'effectuer en quelques mois ou en quelques années. Une perte plus importante exigera entre deux ou quatre années pour ce même travail.

Les dangers d'un deuil non assumé

Un deuil non assumé s'envenime comme une plaie profonde, recouverte de tissu cicatriciel, prête à se rouvrir (Simos, 1979). Une perte ou un traumatisme réveille en nous une énergie qui demande à être libérée. Lorsque nous ne la libérons pas, notre stress s'intensifie jusqu'à provoquer un état de détresse chronique. Kritsberg (1986) parle d'un choc chronique. Si cette énergie n'est pas libérée, la détresse chronique s'accumule en nous et se transforme en inconfort ou en tension difficile à identifier de prime abord. Nous pouvons ressentir cette détresse à travers une gamme de manifestations, comme l'anxiété chronique, la tension, la peur ou la nervosité, la colère ou le ressentiment, la tristesse, le sentiment de vide, l'insatisfaction, la confusion, la culpabilité, la honte ou, à l'instar d'un grand nombre ayant vécu dans une famille perturbée, dans une forme de torpeur ou d'insensibilité émotive. Ces sentiments peuvent tour à tour apparaître et disparaître chez un même individu. Ils peuvent être accompagnés d'insomnie, de douleurs, de maux et d'autres symptômes somatiques. Il peut en résulter des maladies mentales, émotionnelles ou physiques. En d'autres mots, un deuil non assumé sainement peut avoir de lourdes conséquences.

Si pendant l'enfance nous avons subi des pertes sans qu'il nous ait été permis de les vivre, il se peut que nous traînions les problèmes mentionnés plus haut durant l'âge adulte. Nous pouvons développer une tendance à l'autodestruction et à d'autres comportements destructeurs. Ces comportements destructeurs peuvent nous rendre

— nous et les autres — malheureux, nous causer des
ennuis et provoquer des crises successives. Lorsque ces
comportements se répètent, on parle de « compulsion de
répétition ». On dirait alors qu'une envie irrésistible nous
pousse à refaire les mêmes gestes, même si ceux-ci sont
contraires à notre propre intérêt.

Les enfants qui ont vécu dans une famille dysfonctionnelle ont connu plusieurs pertes qui n'ont pas été complètement assumées. Les nombreux messages négatifs
qu'ils ont reçus en tentant d'assumer un deuil se transforment en un important blocage qui les amène à être
insensibles à la douleur et à *refuser d'en parler* (voir aussi
le tableau 6, chapitre 6). Lorsque nous perpétuons à l'âge
adulte les règles et les schèmes de comportement appris
lorsque nous étions enfants ou adolescents, il devient difficile de les modifier. Pourtant, en rétablissant notre
Enfant intérieur, en découvrant, en nourrissant et en
devenant notre Moi véritable, il nous est possible de transformer ces comportements inefficaces. Ce faisant, nous
commençons à nous libérer des entraves de notre confusion et de nos souffrances inutiles et répétées. Nous devons d'abord *identifier* nos pertes ou nos traumatismes.
Ensuite, nous pouvons commencer à les *revivre*, à en *assumer le deuil jusqu'au bout*, au lieu d'essayer de les con-
tourner ou de les esquiver comme nous l'avons fait jusqu'à
maintenant.

Commencer à faire le deuil

Plusieurs méthodes s'offrent à nous pour entreprendre ce processus de deuil. Certains de ces moyens incluent
le fait de commencer à :

a) Identifier nos pertes;

b) Identifier nos besoins (tableau 2);

c) Identifier nos sentiments et les partager (chapitre 10);

d) Approfondir les questions relatives aux fondements de l'être (chapitre 9); et

e) Élaborer un programme de recouvrance.

Identifier nos pertes

Il peut être difficile d'identifier une perte, tout particulièrement si nous l'avons cachée, réprimée et éliminée. Il peut être encore plus difficile de cerner une perte de longue date. Si le fait de parler de notre souffrance et de nos préoccupations peut nous aider, une simple conversation ou ce que l'on appelle « thérapie du bavardage » peut n'être pas suffisant pour déclencher des sentiments ou des deuils non assumés.

Les thérapies ou les techniques fondées sur l'*expérimentation* peuvent nous aider à déclencher et à faciliter le processus de deuil. Car des techniques expérimentales comme la thérapie de groupe, osant s'attaquer aux véritables préoccupations ou aux sculptures familiales, permettent une concentration et une spontanéité qui atteignent l'inconscient. Autrement celui-ci demeurerait fermé à la perception consciente. On estime que seulement 12 % de notre vie et de nos connaissances touchent notre champ de *conscience*, alors que 88 % relèvent de l'*inconscient*. Ces techniques expérimentales sont utiles non seulement pour identifier nos pertes mais aussi pour effectuer le véritable travail de deuil.

Les exemples suivants illustrent certaines techniques expérimentales qui peuvent être utilisées dans le rétablissement de notre Enfant intérieur, nous permettant de faire le deuil de nos pertes et de nos traumatismes.

- Prise de risques et partage, plus particulièrement de nos sentiments, avec des personnes en qui nous avons confiance et qui nous soutiennent;
- Récit de notre histoire (se confier, avec le risque et le partage que cela suppose);
- Travail à partir du transfert (c'est-à-dire ce que l'on projette sur autrui et vice-versa);
- Psychodrame, reconstruction, thérapie Gestalt, sculpture familiale;
- Hypnose et techniques semblables;
- Participation à des réunions de groupes d'entraide;
- Travail des Douze Étapes (Al-Anon, AA, NA, OA, etc.);
- Thérapie de groupe (habituellement un environnement sécurisant qui permet de pratiquer les techniques fondées sur l'expérience);
- Thérapie de couple ou de famille;
- Technique d'imagerie mentale;
- Travail de respiration;
- Affirmations;
- Analyse des rêves;
- Thérapie par les arts, le mouvement et le jeu;
- Imagination active et recours à l'intuition;
- Méditation et prière;
- Thérapie corporelle;
- Rédaction de son journal intime.

On doit utiliser ces techniques d'expérimentation dans le cadre d'un programme de recouvrance totale, idéalement sous la supervision d'un thérapeute ou d'un conseiller qui connaît les principes de rétablissement de l'Enfant en soi.

J'ai compilé quelques exemples de pertes (tableau 10) afin de les identifier plus facilement, plus particulièrement celles que nous n'avons pas assumées. Pour compléter la liste, nous pouvons relire le tableau 5, ou nous y référer, concernant certains termes donnés à différents types de pertes ou traumatismes qui ont pu survenir durant notre enfance et à l'âge adulte.

Tableau 10. Quelques exemples de perte
(compilés à partir de Simos, 1979)

- **Une personne importante, un proche**

  Séparation, divorce, rejet, fuite, abandon, mort, avortement, fausse couche, maladie, déménagement, enfants quittant le foyer, etc.

- **Partie de soi**

  Image corporelle, maladie, accident, perte d'autonomie, perte de contrôle, estime de soi, indépendance, ego, attentes, style de vie; besoins; choc culturel; emploi, changement, etc.

- **Enfance**

  Parents sains, besoins comblés, développement sain (par étapes), objets de transition (couverture, nounours, etc.), nouveau membre *ou* perte d'un membre de la famille, transformations physiques (par exemple à l'adolescence, à l'âge adulte ou durant la vieillesse). Menaces de perte; séparation ou divorce.

- **Développement de l'adulte**

  Transitions, notamment vers la cinquantaine.

- **Objets extérieurs**

  Argent, propriété, choses nécessaires (clefs, portefeuille, etc.), automobile, objets à valeur sentimentale, collections.

Une perte peut être soudaine, graduelle ou prolongée. Elle peut être partielle, complète, incertaine ou sans fin. Elle peut survenir une seule fois, ou se multiplier et s'accumuler. Toujours personnelle, elle peut aussi être symbolique.

La perte étant une expérience courante puisque nous la vivons quotidiennement, nous la négligeons souvent et facilement. Cependant, elle menace toujours notre estime de nous-même. En effet, une perte apparaît chaque fois que notre estime de nous-même est touchée (Simos, 1979).

Bien que la perte arrive séparément et discrètement, le deuil qu'elle engendre réveille d'autres pertes non assumées que nous avons emmagasinées dans notre inconscient. Une perte non assumée y demeure à jamais enfouie, puisque l'inconscient n'a aucune notion du temps. Par conséquent, les pertes passées ou présentes, ou même le souvenir de ces pertes, nous font craindre d'éventuelles pertes dans l'avenir (Simos, 1979).

En résumé,

Les pertes et les séparations passées
ont un impact sur les pertes, les séparations,
les attachements présents.

Et tous ces facteurs influent
sur la crainte de pertes futures
et sur notre capacité de nous attacher à l'avenir.

(Simos, 1979)

Identifier une perte non assumée
marque le début de notre libération
de nos entraves souvent douloureuses.

Étant donné que la perte est un événement déterminant dans le rétablissement d'un alcoolique et d'une personne codépendante, j'ai relevé dix exemples de pertes qui permettront à des personnes qui en ont été affectées de continuer à les identifier (tableau 11).

Les étapes du deuil

Un chagrin profond suit particulièrement un déroulement particulier, débutant par un choc, de l'anxiété et de la colère, et prenant fin sur une note soit positive ou négative, suivant les conditions qui prévalent lors de cette perte et de la chance qu'a eue une personne de l'assumer (Bowlby, 1980).

Il est possible de mieux décrire ces étapes ou ces phases en les divisant de manière plus détaillée.

Étape 1. Choc, alerte et déni.

Étape 2. Détresse profonde, prenant la forme de :

Déni continuel, intermittent et atténué.

Douleur et détresse physique et psychologique.

Pulsions, émotions et impulsions contradictoires.

Comportement axé sur la recherche de solutions, prenant la forme de :

préoccupation comportant des réflexions sur la perte, une envie irrésistible d'en parler et de retrouver l'être ou l'objet perdu; un sentiment d'être en attente que quelque chose se produise, de l'errance et de l'agitation sans but; une impression d'être perdu, de ne pas savoir quoi faire; une incapacité à entreprendre quoi que ce soit; une impression que le temps est arrêté; un sentiment

**Tableau 11. Quelques pertes subies par les alcooli-
ques, les toxicomanes, les codépendants,
les enfants-adultes d'alcooliques ou de
familles perturbées ou dysfonctionnelles, et la gravité appréhendée de leur
impact sur le besoin de les assumer**

Perte	Gravité supposée ou impact de la perte dans le cas de :		
	Alcoolisme, Toxicomanie	Codépen- dance	Enfant- adulte
1. Attentes, espoirs, croyances	++	++	++
2. Estime de soi	++	+,++	+,++
3. Parties de soi (autres que l'estime de soi)	+	+	+
4. Style de vie	++	++	++
5. Modification instantanée de l'état de conscience ou soula- gement de la douleur (alcool, drogue ou montée d'adrénaline)	+++	++	++
6. Relations passées non vécues 7. Stades de développement passés incomplets 8. Pertes et traumatismes passés non assumés	++	+++	+++
9. Changements dans les relations actuelles 10. Menaces de pertes futures	++	++	+,++

Légende : + = un peu, ++ = modéré, +++ = beaucoup
(gravité supposée ou impact d'une perte selon l'état)

d'être désorganisé et que la vie ne vaudra plus jamais la peine d'être vécue; de la confusion et des sentiments d'irréalité; une peur que tout ce qui précède soit les signes d'une maladie mentale.

Pleurs, colère, culpabilité, honte.

Identification aux traits, valeurs, symptômes, goûts ou caractéristiques de la personne que nous avons perdue.

Régression ou retour à des comportements ou à des sentiments vécus plus jeune, ou reliés à une perte antérieure ou aux réactions qui s'y rattachent.

Sentiment d'impuissance et de dépression, confiance ou désespoir, soulagement.

Diminution de la douleur et plus grande capacité à surmonter la perte.

Obsession à trouver la signification de la perte.

Commencement d'une réflexion sur une nouvelle existence sans l'objet de la perte.

Étape 3. Intégration de la perte et deuil.

Si le résultat est favorable :

Acceptation de la réalité de la perte et retour à un bien-être physique et psychologique. Diminution de la fréquence et de l'intensité des pleurs, rétablissement de l'estime de soi, concentration sur le présent et l'avenir, capacité retrouvée d'apprécier la vie, plaisir ressenti à l'idée d'avoir grandi à travers cette expérience, restructuration d'une nouvelle identité en reconstituant la perte et le souvenir de cette perte, et en les regardant avec compassion et attention plutôt qu'avec douleur.

Si le résultat est défavorable :

Acceptation de la réalité de la perte avec l'impression persistante d'être déprimé, ajoutée à des maux et à des douleurs physiques, diminution de l'estime de soi, réorganisation d'une nouvelle identité avec étouffement de la personnalité, en même temps qu'une tendance et une vulnérabilité à vivre d'autres séparations ou pertes (Simos, 1979).

Le fait de séparer ces différentes étapes en plusieurs parties nous aide à conceptualiser et à comprendre le processus de deuil. Cependant, ces composantes ne sont pas distinctes et récurrentes, c'est-à-dire qu'elles ne se succèdent pas suivant un ordre prescrit. Elles ont plutôt tendance à se chevaucher et à se déplacer entre les différents domaines ou manifestations précédemment cités.

Dana, 28 ans, avait grandi dans une famille abusive et minée par l'alcoolisme. Vers la fin de son adolescence, elle devint alcoolique. Elle cessa de boire à 24 ans et commença une cure pour se guérir de cet alcoolisme. Depuis deux ans, elle faisait partie de notre groupe d'enfants-adultes de parents alcooliques et d'autres familles perturbées, et elle accomplissait de remarquables progrès. Lorsqu'elle rompit avec son amoureux, elle dit au groupe : « J'ai très mal. Il ne me reste plus que ma douleur, ce sentiment de vide est si douloureux. J'ai rompu avec mon amoureux il y a deux semaines. Cette semaine, je me suis mise à pleurer sans pouvoir m'arrêter. Je me rends compte que ce n'est pas la rupture qui me fait si mal. C'est plutôt la perte de la petite fille à l'intérieur de moi. Chaque soir, je reviens chez moi et je pleure jusqu'à ce que je m'endorme. » La voici qui pleure, puis qui fait une longue pause : « J'ai peine à croire que cette petite fille a été si mal traitée. Mais c'est la vérité. »

En commençant à s'affliger d'une perte — la relation avec son amoureux —, Dana a déclenché le deuil non assumé d'une autre perte, les mauvais traitements infligés à son Enfant intérieur. Cet exemple illustre le fait que le deuil n'est pas aussi simple qu'il y paraît de prime abord. Évidemment, Dana avait fait le deuil de la perte de son Enfant intérieur depuis longtemps, mais elle l'avait fait de manière incomplète : elle avait l'envie irrésistible de fréquenter à répétition des hommes qui la maltraitaient, elle n'avait pas confiance en son parrain des AA ni dans le groupe de thérapie qu'elle fréquentait, du moins durant la première année. Mais, progressivement, elle commença à prendre des risques et à raconter son histoire par petits morceaux. Elle commence maintenant à se libérer des chaînes de son moi codépendant et de sa compulsion de répétition et elle entreprend le rétablissement de son Enfant intérieur.

En travaillant sur la douleur inhérente à notre deuil, nous *vivons nos émotions comme elles se présentent* à nous, sans essayer de les changer. Le processus de deuil est donc une tâche *active*. C'est un travail mental et émotif, exhaustif et épuisant (Simos, 1979). Il est tellement douloureux que nous tentons souvent d'éviter la douleur qui s'y rattache. Voici quelques moyens que nous utilisons afin d'éviter le travail de deuil :

• Continuer à nier la perte;

• Intellectualiser cette perte;

- Réprimer ses sentiments;

- Faire preuve d'une attitude macho (Je suis fort, je peux régler tout ça moi-même);

- Utiliser de l'alcool ou d'autres drogues;

- Faire des efforts prolongés afin de retrouver l'objet perdu.

De telles méthodes peuvent nous procurer un soulagement temporaire, mais éviter de vivre notre deuil ne fait que prolonger notre douleur. Au bout du compte, nous dépensons autant d'énergie à essayer d'éviter le deuil que si nous l'avions affronté et assumé jusqu'au bout. Lorsque nous *ressentons* quelque chose, nous diminuons son pouvoir sur nous.

En entreprenant le rétablissement de notre Enfant intérieur, nous pouvons découvrir que nous avons évité d'assumer des deuils concernant des pertes ou des traumatismes survenus il y a longtemps. Pourtant notre incapacité à assumer notre deuil entretient et augmente la douleur. Pour certains d'entre nous, il peut être maintenant temps de commencer ce processus de deuil et de l'assumer jusqu'au bout.

Plusieurs méthodes permettent de ressentir et de vivre nos sentiments à mesure qu'ils montent en nous. Sous la rubrique « Identifier ses pertes », j'ai dressé la liste de plusieurs techniques basées sur l'expérience. Les deux premières sont celles auxquelles nous avons le plus facilement accès : prendre des risques, partager et raconter notre histoire à des personnes en qui nous avons confiance et qui nous soutiennent.

Chapitre 12

Vivre notre deuil jusqu'au bout : prendre des risques, partager et raconter notre histoire

Prendre des risques

Lorsque nous prenons des risques, nous nous révélons et nous dévoilons notre Enfant intérieur, notre Moi véritable. Nous nous rendons ainsi vulnérable et nous nous exposons à deux conséquences possibles : l'acceptation ou le rejet. Quel que soit le risque pris, quelqu'un peut réagir en nous acceptant ou en nous rejetant, ou à mi-chemin entre les deux.

Que ce soit pendant l'enfance, l'adolescence ou l'âge adulte, beaucoup d'entre nous ont été tellement blessés en prenant des risques que nous sommes habituellement peu enthousiaste ou même incapable de risquer et de partager notre Moi véritable avec les autres. Nous sommes alors enfermé dans un dilemme : si nous réprimons nos sentiments, nos pensées, nos préoccupations et notre créativité, nous étouffons notre Enfant intérieur; nous nous sentons coupables, nous nous faisons du mal. Cette énergie retenue peut s'accumuler à un point tel que le seul moyen d'y faire face est de nous confier à *quelqu'un*, comme c'est souvent le cas de ceux qui ont vécu dans une famille perturbée. À cause d'un certain nombre de facteurs comme notre recherche d'approbation, de validation, d'excitation et d'intimité, nous pouvons choisir quelqu'un qui ne nous offre *pas* le soutien et la *sécurité* nécessaires. Cette personne peut même d'une certaine façon nous rejeter et nous trahir, ce qui confirmera justement notre répugnance à prendre des risques. Nous recommençons donc à réprimer nos sentiments, et le cycle se poursuit. Cependant il est nécessaire de partager le vécu de notre Enfant intérieur avec les autres si nous voulons le guérir. Alors, par où commencer?

Au lieu de le retenir pour ensuite lui donner libre cours de manière impulsive ou inconsidérée, nous pouvons commencer par une première étape : choisir quelqu'un en qui nous avons confiance et qui nous soutient, comme un ami cher, un conseiller ou un thérapeute, un groupe de thérapie ou un parrain. Au début, nous courons un léger risque. Puis nous suivons le modèle « partage et vérification » dont nous avons parlé précédemment (Gravitz, Bowden, 1985). Si cela fonctionne, nous pouvons partager davantage et ainsi de suite.

Prendre des risques et partager implique plusieurs autres questions fondamentales, incluant la confiance, le contrôle, les sentiments, la peur de l'abandon, les réflexions et les comportements extrémistes ainsi qu'une grande tolérance envers les comportements inconvenants. Lorsque surgit l'une de ces questions fondamentales, il peut être utile de l'examiner et même de commencer à en parler avec des personnes *sûres*. À mesure que nous osons prendre des risques, nous pouvons commencer à raconter notre propre histoire.

Raconter notre histoire

Le récit de notre histoire est un acte déterminant dans la découverte et le rétablissement de notre Enfant intérieur. Cela constitue la base de la recouvrance dans les groupes d'entraide, les thérapies de groupe, la thérapie individuelle et le counselling. Je décris quelques-unes des dynamiques du témoignage personnel dans *Alcoholism and Spirituality*.

Un témoignage complet comprend trois parties principales : la séparation, l'initiation et le retour (Campbell, 1949). Les groupes des Douze Étapes décrivent leur histoire en disant : « Ce que nous étions », « Ce qui s'est passé », et « Ce que nous sommes maintenant ». Les participants à la thérapie de groupe parlent de risque, de partage, de participation et de « travail » en groupe. En psychothérapie individuelle ou en counselling, les mêmes termes sont utilisés. Les psychanalystes, eux, font allusion à la « libre association », au « travail utilisant le transfert et les conflits intérieurs non résolus ». Entre intimes, nous pouvons parler de « mise à nu » ou de « conversation à cœur ouvert ».

Lors de notre témoignage, nous devons prendre conscience que les commérages et la complaisance nuisent à la recouvrance. Cela est dû en partie au fait que les commérages représentent une attaque plutôt qu'une révélation de soi. Ils sont généralement incomplets et calqués sur une position ou un cycle de victime. Le fait de se complaire dans sa douleur équivaut à la prolonger au-delà d'une durée raisonnable, propice à un sain rétablissement. Il y a ici un danger que l'on peut observer dans certains groupes d'entraide : lorsqu'un participant tente de confier un problème qui ne présente pas de solution apparente ou immédiate, les autres peuvent sans le savoir y voir de l'apitoiement ou qualifier la thérapie de séance d'apitoiement. Dans ce cas, même si nous pouvons généralement avoir confiance dans les groupes d'entraide, la personne affligée souhaitera peut-être trouver une aide extérieure afin d'exprimer sa peine.

Simos (1979) a écrit : « Le travail de deuil doit être partagé. Lors du partage, cependant, il ne faut pas faire preuve d'impatience, de censure ou de lassitude lorsque les propos se répètent, puisque cette répétition est nécessaire si le sujet veut se libérer, intérioriser et par la suite faire accepter par son inconscient que la perte est réelle. Les personnes affligées sont sensibles aux sentiments des autres et pourront s'abstenir de révéler leurs émotions si elles considèrent que ce partage est un fardeau pour eux et iront même jusqu'à consoler ceux qui les écoutent. »

Notre témoignage n'a pas à ressembler au récit de beuveries successives ni à s'éterniser inutilement. En racontant notre histoire, nous parlons des passages importants, significatifs, bouleversants, générateurs de conflits ou douloureux de notre vie. Nous prenons des risques, nous partageons, nous interagissons, nous découvrons des choses et bien plus encore. Ce faisant, nous nous rétablissons. Lorsque nous écoutons les histoires des autres et qu'ils entendent les nôtres, *nous entendons notre propre histoire*. Et c'est là l'élément clé de la guérison. Même si nous nous étions fait une idée de ce que nous allions raconter, souvent notre témoignage diffère de ce que nous avions prévu exposer.

Le schéma 2 illustre ce témoignage. À partir de l'endroit sur le cercle où se situe le « contentement », nous pouvons oublier que nous sommes le protagoniste de l'histoire. À long terme, dans notre vie quotidienne, nous expérimentons la perte de quelque chose ou de quelqu'un, que cette perte soit réelle ou fictive. À partir de cette étape, il nous est possible de vivre ce deuil et de grandir. Dans cette figure, j'ai résumé le plus important de cette peine initiale par le mot *souffrance*. Et lorsque nous souffrons, nous avons tendance à nous mettre en colère.

À ce moment crucial, nous avons la *possibilité* de devenir *conscient* que nous avons perdu quelque chose ou quelqu'un, ou que nous vivons une souffrance. C'est là que nous pouvons choisir de nous *engager à affronter notre souffrance et notre deuil*. Nous pouvons alors considérer que ce cycle de notre témoignage est complet. C'est le « périple du héros » (ou de l'héroïne). Ou bien nous pouvons *ne pas être conscient* de la possibilité de travailler sur cette perte ou sur cette souffrance. Nous pouvons alors commencer à accumuler du ressentiment ou à nous blâmer, ce qui peut conduire à une maladie reliée au stress et à une période de souffrance plus grande que si nous avions plutôt affronté notre douleur et notre deuil. Nous pouvons nommer ce cycle le « cycle de la victime » ou « la position de martyr ou de victime ».

Si nous nous engageons à travailler sur notre souffrance et notre deuil, alors nous commençons à partager, à exprimer publiquement, à participer et à ressentir notre douleur. Nous pouvons éprouver le besoin de répéter notre histoire à plusieurs reprises pendant plusieurs heures, plusieurs jours, plusieurs semaines ou même plusieurs mois, avant de pouvoir la compléter. Nous pouvons peut-être même la reconsidérer, l'aborder sous d'autres angles, la rêver et même la raconter à nouveau.

Cette étape est peut-être douloureuse, mais elle nous permet d'aller jusqu'au bout de cette souffrance ou de ce conflit, et de nous en libérer. Notre conflit intérieur est maintenant résolu et intégré, et nous en avons tiré une leçon. Nous avons rétabli notre Enfant intérieur et nous avons grandi. Nous pouvons retrouver la nature profonde de notre Enfant intérieur, c'est-à-dire le contentement, la joie et la créativité.

Cependant, il peut s'avérer difficile de s'aventurer dans les confidences. Nous pouvons avoir de la difficulté à exprimer les sentiments qui sont reliés à ce témoignage. La colère est probablement le sentiment le plus malaisé à identifier et à exprimer. La colère est une composante majeure dans ce processus de deuil et dans le rétablissement de notre Enfant intérieur.

La colère

La colère compte parmi nos émotions les plus communes et les plus importantes. À l'instar des autres émotions, elle indique ce à quoi nous devrions nous attendre.

Souvent les personnes qui ont grandi dans une famille perturbée ne réalisent pas à quel point elles étaient en colère, ni à quel point il est utile de reconnaître et d'exprimer sa colère, même si les traumatismes ou les mauvais traitements ont eu lieu il y a longtemps. Pendant leur enfance ou leur adolescence, elles ont été maltraitées à plusieurs reprises et souvent de matière subtile. Comme nous en avons parlé dans le chapitre 9 sous le titre « Une grande tolérance envers un comportement inconvenant », les enfants et les adultes *ne se rendent souvent pas compte qu'ils ont été victimes de mauvais traitements*. Ne disposant d'aucun point de comparaison à

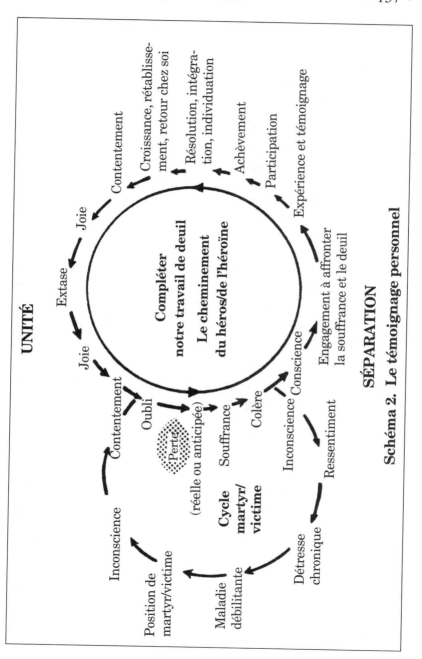

UNITÉ

SÉPARATION

Contentement

Croissance, rétablissement, retour chez soi

Résolution, intégration, individuation

Achèvement

Participation

Expérience et témoignage

Joie

Extase

Joie

Engagement à affronter la souffrance et le deuil

Contentement

Oubli

Perte (réelle ou anticipée)

Souffrance

Colère

Inconscience Conscience

Ressentiment

Inconscience

Contentement

Position de martyr/victime

Maladie débilitante

Détresse chronique

Compléter notre travail de deuil Le cheminement du héros/de l'héroïne

Cycle martyr/victime

Schéma 2. Le témoignage personnel

partir duquel ils auraient pu évaluer la réalité, ils croient qu'ils ont été traités — et qu'ils continuent d'*être* traités — d'une façon convenable. Ou, s'ils pensent avoir été maltraités, ils croient l'avoir *mérité*.

Lorsque nous *entendons le témoignage d'autres personnes* au cours d'une thérapie de groupe, nous apprenons peu à peu en quoi consiste un mauvais traitement, un abus ou une négligence. Au cours de la recouvrance, que ce soit en thérapie individuelle ou de groupe, le fait d'apprendre à être conscient de ses émotions et de les exprimer constitue un *avantage indéniable si nous souhaitons connaître une existence paisible et heureuse*. À mesure que nous découvrons la nature de nos mauvais traitements, nous pouvons commencer un travail d'affliction et de deuil nécessaire et libérateur. Prendre conscience de notre colère et l'exprimer est une composante majeure de ce travail de deuil.

Parmi les carences de quelques-unes des Douze Étapes des groupes d'entraide, on compte la crainte dissimulée des sentiments et des émotions, surtout les plus douloureux. On y suggère d'éviter d'avoir trop faim, d'être trop en colère, trop seul ou trop fatigué. La personne qui vient d'entreprendre un travail de recouvrance peut croire qu'il faut retenir ses émotions, alors qu'il serait plus juste de dire qu'il faut s'occuper de soi-même afin de ne pas être submergé par ses émotions.

Nombre de personnes en cours de recouvrance craignent d'exprimer leur colère. Elles craignent de perdre le contrôle si elles se fâchent réellement. Elles pourraient alors blesser quelqu'un, se blesser elles-mêmes, ou un autre événement déplorable pourrait survenir. En creusant un peu plus, elles pourraient découvrir que leur colère n'est pas superficielle, mais qu'il s'agit bien de *rage*.

Ressentir de la rage peut nous terroriser. Il est normal de craindre de se rendre compte de sa colère et de l'exprimer pleinement.

La colère est souvent accompagnée de symptômes nerveux ou somatiques, tels que le tremblement, la panique, la perte de l'appétit, parfois même l'excitation. Il peut être libérateur de ressentir et d'exprimer cette colère. Pourtant, au sein d'une famille ou d'un environnement perturbés, l'expression saine de la colère et des émotions est découragée, sinon défendue.

Durant l'enfance, l'adolescence ou à l'âge adulte, lorsque nous essuyons une perte — qu'elle soit réelle ou anticipée —, nous réagissons fondamentalement par la peur ou par la douleur. Cependant, *dans un environnement où les sentiments ne peuvent s'exprimer*, nous avons l'impression d'avoir nous-même *causé* la perte ou le traumatisme. Nous nous sentons coupable et nous avons honte, sans pouvoir l'exprimer ouvertement. Nous tentons d'exprimer la colère ressentie, mais une fois encore nous en sommes incapable. À la suite de la répression répétée de ses sentiments, l'Enfant en soi se sent seul et confus, triste et honteux, avec une impression de vide. Ces sentiments douloureux s'accumulent et commencent à devenir intolérables. Dénué de toute possibilité de les exprimer au grand jour, nous n'avons d'autre choix que de les réprimer du mieux que nous le pouvons, par exemple en devenant insensible.

Pourtant — nous l'apprenons en vieillissant —, quatre *autres* choix s'offrent à nous : (1) retenir nos sentiments jusqu'au seuil de l'intolérable; (2) devant notre incapacité à les exprimer, devenir malade, physiquement ou émotionnellement; (3) dissimuler la douleur grâce à l'alcool ou à d'autres drogues; ou (4) exprimer notre douleur et la surmonter avec l'aide de personnes en qui nous avons confiance et qui nous soutiennent.

En général, dissimuler notre douleur sous les vapeurs de l'alcool ou des drogues n'est pas efficace très longtemps; même si ces dernières nous sont prescrites par un médecin, cela peut même s'avérer dangereux. Cela est surtout vrai pour l'enfant d'un parent ou d'un grand-parent alcoolique, à cause des risques de transmission de la dépendance à l'alcool ou aux stupéfiants, qui prévaut dans de telles familles. De plus, cette manière d'agir inhibe ou ralentit le processus normal d'affliction. Plusieurs personnes souffrantes ont demandé du secours et elles ont *reçu* des drogues pour diminuer leur douleur. On aurait dû leur expliquer la nature du travail de deuil et les encourager à faire face à la situation.

Dans les familles perturbées, on pousse la souffrance jusqu'à un seuil intolérable, jusqu'à l'éclatement. Cela est certes plus utile que de boire ou de consommer des drogues, ou de s'insensibiliser, mais c'est beaucoup moins efficace que d'exprimer sa peine *au moment où elle survient* à une personne en qui nous avons confiance.

Protéger nos parents : un obstacle au travail de deuil

Dans le chapitre précédent, j'ai dressé une liste de six moyens par lesquels nous pouvons éviter la douleur causée par le deuil : nier notre perte, l'intellectualiser, réprimer nos sentiments, avoir une attitude machiste, consommer de l'alcool ou des drogues, et faire des efforts prolongés afin de retrouver l'objet perdu.

Poursuivant cet examen de la colère, nous pouvons maintenant décrire un autre obstacle au travail de deuil :

l'attitude qui consiste à protéger nos parents — ou les autres figures parentales et d'autorité — de notre colère. Avant et pendant le travail de deuil, à mesure que nous découvrons notre Enfant intérieur, nous pouvons avoir l'impression, croire ou craindre que notre colère contre nos parents n'est pas convenable ou que quelque chose de fâcheux surviendra si nous l'exprimons. Cette appréhension est peut-être liée à une conspiration du silence — ne dis rien, n'aie confiance en personne, ne ressens rien — décrite dans cet ouvrage et même ailleurs (Black, 1981). J'énumère ci-après dans le tableau 12 neuf façons dont les enfants et les adultes cherchent à protéger leurs parents de leur colère.

La première façon, c'est le déni catégorique. Nous pouvons affirmer que notre enfance a été heureuse, normale. Le traumatisme vécu par certains enfants-adultes de familles perturbées ou dysfonctionnelles fut tel qu'ils ont oublié près de 75 % des expériences survenues dans leur enfance. Mon expérience clinique m'a cependant appris que, lorsqu'ils effectuent un travail de recouvrance, la plupart de ces enfants-adultes *sont* capables de passer outre ce déni, de dévoiler progressivement leurs pertes ou leurs traumatismes non assumés et de les dépasser. Le fait d'entendre le récit des autres — pendant une séance de thérapie de groupe, dans des groupes d'entraide EADA ou ailleurs — leur permet d'identifier et de reconnaître ce qui est survenu pendant leur propre enfance. Nous pouvons alors commencer à nous mobiliser pour faire notre deuil, ce qui inclut l'éclatement de notre colère.

La seconde approche ou stratégie visant à protéger nos parents est de prendre une attitude apaisante, comme de dire : « C'est vrai, mon enfance n'a pas été particulièrement heureuse, mais mes parents ont agi au meilleur

Tableau 12. Réponses, approches et stratégies souvent utilisées dans le but de protéger nos parents (et ainsi faire obstacle à notre rétablissement)

Catégorie	Propos fréquents
1) Déni catégorique	« Mon enfance a été heureuse. »
2) Apaisement; « Oui, mais… »; détachement de nos sentiments	« C'est arrivé, bien sûr, mais mes parents ont fait de leur mieux. »
3) Perception de la douleur du traumatisme comme le résultat d'une fabulation	« Ça ne s'est pas vraiment passé ainsi. »
4) Quatrième commandement	« Dieu sera fâché contre moi. Ce n'est pas juste. »
5) Crainte inconsciente d'un rejet	« Si j'exprime ma colère, ils ne m'aimeront plus. »
6) Peur de l'inconnu	« Un malheur surviendra. Je pourrais blesser quelqu'un, ou on pourrait me faire du mal. »
7) Acceptation du blâme	« C'est ma faute. »
8) Pardon accordé aux parents	« Je leur pardonne » ou « Je leur ai déjà pardonné. »
9) Attaque contre la personne qui conseille d'entreprendre une thérapie	« Tu as tort de me suggérer d'exprimer ma douleur et ma colère, et de laisser sous-entendre que mes parents ont pu avoir tort. »

de leur connaissance. » Une telle attitude nous détache de nos sentiments. Ce détachement du type « pourquoi s'en faire? » nous empêche d'entreprendre le travail de deuil nécessaire qui nous libérerait.

La troisième voie consiste à percevoir sa perte ou son traumatisme comme un fantasme. Cela survient souvent en psychanalyse ou en psychothérapie. L'analyste ou le thérapeute peut suggérer que, si nous avons vécu un traumatisme, il nous est impossible de nous en souvenir comme il est *réellement* survenu, suggérant alors qu'il s'agit de fabulation. Aggravant la douleur, cette façon infirme à nouveau la douleur de notre Enfant intérieur (Miller, 1983). Nous finissons par croire que les choses ne se sont pas vraiment passées ainsi.

Quelle que soit la méthode ou la thérapie employée, on peut nous encourager à admettre que nos peurs sont sans fondement, notre méfiance inutile et que notre besoin d'acceptation est comblée depuis longtemps par le thérapeute, le conseiller ou le groupe de thérapie. On peut aussi s'entendre dire que nous pouvons vivre une sorte d'amour/haine envers nos parents et que le tort qu'ils nous ont fait n'était qu'une manifestation de leur amour. Miller (1984) a écrit : « Le patient adulte sait tout cela, mais est heureux de l'entendre à nouveau, puisque cela l'aide à dénier, pacifier et maîtriser son Enfant intérieur qui vient tout juste de commencer à pleurer. De cette façon, le thérapeute, le groupe ou le patient lui-même tentera de convaincre cet Enfant intérieur du ridicule de ses émotions vu qu'elles ne conviennent plus à la situation présente (bien qu'elles soient encore intenses); un travail qui aurait produit d'excellents résultats sera sapé par une méthode de traitement qui n'offre aucun soutien à l'enfant colérique. » Pour nous délivrer de la maltraitance, nous devons nous mettre en colère.

L'autre manière de bloquer notre colère, consiste à accepter le quatrième commandement de Dieu qui ordonne : « Père et mère tu honoreras, afin de vivre longuement sur la terre qui t'es donnée par le Seigneur ton Dieu. » (La Bible, Exode, 20, 12). Il est difficile de déchiffrer et d'interpréter exactement ce que signifie le verbe « honorer » dans ce contexte. Au cours des siècles cependant, de nombreux *parents* l'ont interprété comme un message de répression de l'enfant : l'enfant ne doit pas répliquer à ses parents, car ceux-ci ont le dernier mot. De là à croire que Dieu nous punira ou que nous serons de mauvais enfants si nous nous fâchons contre nos parents, il n'y a qu'un pas. La plupart des religions importantes recommande de semblables exhortations, qui tendent à réprimer notre Enfant intérieur et notre aptitude à être vrai, et à surmonter nos pertes d'une manière saine.

Un cinquième moyen d'éviter notre colère et notre deuil en protégeant nos parents consiste à avoir peur de leur rejet. Nous pouvons penser ou dire quelque chose comme « Si j'exprime ma rage, ils ne m'aimeront plus » ou « Ils vont continuer à me traiter comme un mauvais garnement. » Cette peur est véritable et elle a besoin d'être exprimée lorsqu'elle se révèle à notre conscience.

Une sixième façon d'éviter la colère peut prendre la forme d'une peur de l'inconnu ou de l'expression de nos sentiments. Nous pouvons dire ou penser : « Un malheur surviendra. Je pourrais blesser quelqu'un ou on pourrait me faire du mal. » Cette peur réelle devrait être exprimée en cours de recouvrance. En septième lieu, nous pouvons nous imputer le blâme : « C'est ma faute! »

Plusieurs personnes évitent leur colère et leur affliction simplement en pardonnant à leurs parents (huitième manière). Partant du principe que le pardon est facile, ils peuvent dire : « Je vais leur pardonner. » Ou souvent, ils étouffent leur Moi véritable en disant : « Je leur ai *déjà* pardonné. » Toutefois, la plupart des gens qui parlent ainsi n'ont pas complètement pardonné, puisque le pardon est un *travail* semblable, sinon *identique*, à celui du deuil.

Une dernière méthode de protection des parents consiste à attaquer la personne qui nous conseille d'entreprendre une thérapie, comme une thérapie qui vise l'expression de la colère ou du blâme envers les parents. Nous pouvons alors dire ou penser : « C'est mal de me suggérer une telle chose! » ou « Comment peux-tu insinuer que mes parents aient pu mal agir? »

Combinés ou utilisés individuellement, ces différents moyens servent à protéger nos parents de notre colère ou de notre rage. De cette façon, nous réprimons notre Moi véritable et nous compromettons notre habileté à nous rétablir des souffrances inutiles. Cependant *nous sommes mieux armés puisque nous connaissons maintenant nos blocages*. Désormais, lorsque nous commencerons à les utiliser — peut-être inconsciemment, pour ralentir notre travail de deuil —, nous pourrons nous en *départir* lorsque nous nous sentirons prêt.

EXPRIMER NOTRE COLÈRE

Nous apprenons que, en rétablissant notre Enfant intérieur, il est *convenable* et *sain* de prendre conscience de notre colère et de l'exprimer. Mais comment l'exprimer? Et à qui s'en ouvrir?

Nous nous rendons compte qu'il existe des personnes capables d'accepter notre colère et de nous aider à l'aborder. Ce sont ces personnes en qui nous avons confiance et qui nous soutiennent dont j'ai parlé : thérapeutes, conseillers, parrains, groupes de thérapie, membres de groupes d'entraide et amis proches. À l'opposé, pour une raison ou pour une autre, certains sont incapables de tolérer ou d'entendre notre colère. Cela peut inclure nos parents ou des personnes qui nous les rappellent. Si nous nous confions *sans détour* à ces parents ou à ces personnes, il est *peu probable* que nous puissions compléter notre travail de recouvrance. Certains peuvent ne pas bien comprendre ce que nous essayons d'exprimer ou de faire. Ou ils peuvent rejeter nos propos, ce cadeau que nous leur faisons de prendre un risque, et alors nous pourrons nous sentir confus, blessé et à nouveau impuissant. Exprimer notre colère à ces personnes nous serait certes bénéfique, mais ce ne serait pas dans notre intérêt et cela pourrait même être autodestructeur. Étant donné qu'elles-mêmes n'ont pas rétabli *leur* Enfant intérieur, elles sont généralement incapables de prendre part à un travail de rétablissement sain d'une autre personne. Cependant, nous *pouvons* apprendre à *établir des limites* avec ces personnes afin qu'elles ne puissent plus continuer à nous malmener. *Nous établissons ces limites avec fermeté et amour.* Sans agressivité, mais avec *assurance*.

Il est habituellement utile de faire la paix avec nos parents et avec ces autres personnes qui nous ont maltraités et, à travers un travail impliquant le deuil et le pardon, de leur pardonner. Mais il est aussi important de ne pas brusquer les choses. Certains thérapeutes ou conseillers peuvent insister pour que cette réconciliation avec nos parents devienne un but immédiat ou ultime de la thérapie, mais les efforts prématurés en ce sens peuvent nuire à la découverte et à la recouvrance de notre Enfant intérieur. Il est préférable de prendre son temps.

Et même si nous mettons beaucoup de temps à découvrir et à rétablir notre Enfant intérieur, nous pourrions très bien ne pas être capable de réconcilier nos différences avec nos parents. Nous pouvons nous rendre compte que nous ne pourrons pas les changer, qu'ils sont ce qu'ils sont, et que, quoi que nous fassions, ils resteront tels quels. Alors il faut laisser tomber.

Lorsque la compagnie des parents ou d'autres personnes nous empoisonne la vie — comme dans le cas de certains alcooliques actifs, de personnes violentes ou capables d'abus —, il peut être bénéfique de s'en éloigner pour quelques mois ou quelques années. Une telle période de séparation ou de « désintoxication » agrandit notre espace, et nous procure une paix propice à la découverte et au rétablissement de notre Enfant intérieur.

D'AUTRES PRINCIPES

Plus nous sommes blessé par l'objet perdu ou l'événement dont nous faisons le deuil, plus nous sommes habité par la colère. Et même si notre relation avec l'objet de la perte était relativement saine, nous pouvons toujours être en colère contre lui sous prétexte qu'il nous a laissé impuissant et démuni. Nous pouvons aussi nous mettre en colère contre d'autres, incluant ceux que nous croyons responsables de notre perte, et même contre quelqu'un qui ne souffre pas autant que nous. Finalement, nous pouvons nous fâcher d'avoir à débourser des frais de thérapie, et même être en colère contre nos conseillers ou nos thérapeutes parce qu'ils nous poussent à accomplir notre travail de deuil.

À la longue, lorsque nous avons réussi à surmonter cette colère et le reste de notre deuil, nous nous libérons de notre colère et de notre souffrance. Nous atteignons alors un seuil de saturation.

Chapitre 13

La transformation

Par différents moyens, incluant l'authenticité, la réflexion sur soi, la thérapie de groupe, les groupes d'entraide et les séances de counselling, plusieurs personnes transforment leur vie afin que celle-ci devienne plus complète et plus enrichissante, et pour se sentir plus libres.

La transformation est un changement de forme, une restructuration. Son but ultime consiste à modifier notre façon de vivre non pour atteindre quelque chose, mais plutôt pour exprimer notre Moi profond (Leonard, 1973; Erhard, 1984). En nous transformant, nous modifions notre conscience. Nous passons d'un domaine du réel et de l'être à un autre. Un tel changement nous permet de grandir et d'accéder à des niveaux supérieurs plus créateurs, plus paisibles et plus puissants. En même temps que nous expérimentons un plus grand pouvoir personnel, des possibilités et des choix accrus, nous commençons aussi à devenir plus responsable de notre propre existence (Whitfield, 1985).

Pendant la période de transformation de la recouvrance, nous nous appliquons à *dévoiler* les parties vulnérables de notre Enfant intérieur et, paradoxalement, nous réclamons en même temps la puissance inhérente *présente* chez cet Enfant (George, Richo, 1986). Nous transformons les éléments pénibles et souvent dysfonctionnels de ce dernier en d'autres plus positifs et plus fonctionnels. Par exemple, lorsque nous identifions nos problèmes fondamentaux et que nous nous efforçons de les résoudre, nous pouvons procéder à quelques-unes des transformations suivantes :

Questions fondamentales	Transformations
• Faire le deuil des problèmes passés ou actuels	• Faire le deuil des pertes actuelles
• Avoir de la difficulté à être vrai	• Être vrai
• Négliger nos besoins	• Satisfaire nos besoins
• Être exagérément responsable pour les autres	• Être responsable des autres, avec des limites claires
• Avoir une piètre estime de soi	• Avoir une meilleure estime de soi
• Contrôler	• Prendre des responsabilités, sans prise de contrôle
• Faire preuve d'un comportement extrémiste (noir ou blanc)	• Se libérer des extrêmes
• Accorder difficilement sa confiance	• Faire confiance avec discernement
• Avoir de la difficulté avec ses sentiments	• Observer et utiliser ses sentiments
• Trop grande tolérance vis-à-vis des comportements inconvenants	• Savoir ce qui est convenable et, dans le doute, consulter une personne en qui nous avons confiance
• Craindre l'abandon	• Se libérer de la peur de l'abandon
• Résoudre difficilement les conflits	• Résoudre les conflits
• Recevoir et donner difficilement de l'amour	• S'aimer soi-même, aimer autrui et une Puissance supérieure

Il peut ne pas être aisé d'effectuer de tels changements dans notre vie. Nous devons y travailler en prenant des risques, et en racontant notre histoire à des proches en qui nous avons confiance et qui nous soutiennent. Cependant, en général, le processus de transformation ne s'accomplit pas du jour au lendemain. Nous devons plutôt suivre certaines étapes spécifiques afin de modifier notre façon de vivre.

La meilleure manière consiste à travailler sur une *seule* question à la fois, un problème qui nous *inquiète* ou qui *surgit* de façon sournoise. Gravitz et Bowden parlent d'un plan d'action à établir en divisant le problème en plusieurs composantes. Le tableau 13 présente sous forme résumée des étapes du processus de transformation.

Joan, 33 ans, cherchait à résoudre son problème fondamental : la négligence de ses propres besoins. D'aussi loin qu'elle pouvait se souvenir, elle s'était presque toujours préoccupée des besoins des autres, au détriment des siens. Elle avait développé un schème de comportement en fonction duquel elle s'associait avec des personnes ayant besoin d'elle, qui lui servaient à canaliser son action vers les autres. Devant les membres de son groupe de thérapie, elle avoua : « Jusqu'à maintenant, je n'ai jamais réellement su que *j'avais* des besoins. Cette idée m'était étrangère. Mais je commence à me rendre compte qu'elle est réelle. Le besoin sur lequel je m'attarde actuellement est celui du plaisir et de la détente. Il peut sembler surprenant de parler de *travail* dans ce cas, mais c'est pourtant la vérité. Je suis toujours tellement sérieuse que je ne sais même pas ce que c'est que de relaxer et d'avoir du plaisir. Je n'ai jamais appris à *être* une enfant et à m'*amuser* comme une enfant. J'ai toujours été superresponsable. Ma conseillère m'a demandé de consacrer trente minutes par jour au plaisir et à la détente. En fin

Tableau 13. Quelques étapes de la transformation et de l'intégration des questions fondamentales reliées au rétablissement de l'Enfant en soi

Questions fondamentales	Prémisses	Moyen terme	Avancé	Une fois rétabli
1. Deuil	Identifier nos pertes	Apprendre à faire le deuil	Faire le deuil	Faire le deuil des pertes actuelles
2. Être réel	Identifier notre Moi véritable	Pratiquer l'authenticité		Être vrai
3. Négliger nos propres besoins	Nous rendre compte que nous avons des besoins	Identifier nos besoins	Commencer à combler nos besoins	Combler nos besoins
4. Être exagérément responsable face aux autres, etc.	Identifier nos limites personnelles	Clarifier nos limites personnelles	Apprendre à établir des limites	Être responsable de soi, dans des limites précises
5. Piètre estime de soi	Identifier	Partager	S'affirmer	Meilleure estime de soi
6. Contrôle	Identifier	Commencer à lâcher prise	Assumer des responsabilités	Être responsable de nous-même tout en lâchant prise
7. Comportement	Reconnaître et identifier	Prendre conscience des *deux* extrêmes *et* faire des choix	Se libérer	Se libérer des choix extrémistes
8. Confiance	Se rendre compte de l'utilité de la confiance	Accorder sa confiance de manière sélective	Apprendre à faire confiance aux bonnes personnes	Accorder sa confiance à juste titre
9. Sentiment	Reconnaître et identifier	Expérimenter	Y recourir	Observer nos sentiments et y recourir
10. Grande tolérance face à un comportement inconvenant	Se questionner sur ce qui convient et ce qui ne convient pas	Apprendre à reconnaître ce qui convient et ce qui ne convient pas	Apprendre à définir des limites	Savoir ce qui convient et, dans le doute, s'informer auprès d'une personne sûre
11. Peur de l'abandon	Se rendre compte qu'on a été abandonné ou négligé	En parler	Faire le deuil de l'abandon	Se libérer de la peur de l'abandon
12. Difficulté à confronter ou à résoudre les conflits	Reconnaître les conflits et prendre des risques	Pratiquer l'expression de nos sentiments	Résoudre les conflits	Travailler sur les conflits actuels
13/14. Difficulté à recevoir ou à donner de l'amour	Définir l'amour	Pratiquer l'amour	Pardonner et peaufiner	S'aimer, aimer autrui et une Puissance supérieure

de semaine, elle veut que j'augmente cette période à soixante minutes. Je ne sais pas si j'y parviendrai mais j'essaie. J'ai obéi le premier jour, mais les cinq jours suivants, j'ai passé outre. Je m'aperçois que je résiste. »

En décomposant le processus de satisfaction des besoins en deux parties — soit se *rendre compte* que l'on *éprouve* des besoins, puis commencer à les *identifier* —, nous commençons à travailler sur cette négligence de nos besoins. Il *faudra* probablement *consacrer plusieurs mois* et même plus longtemps à la *seule réalisation de cette étape*. À la longue, nous commencerons à satisfaire à au moins un de nos besoins de façon régulière. En étant plus conscient, et en continuant de travailler sur eux et en les observant, nous aurons transformé notre vie de telle sorte que la plupart du temps nos besoins *seront comblés*.

Après avoir pris conscience de ces questions fondamentales, nous pourrons y travailler. Fort de cette nouvelle conscience, nous agirons conformément à nos expériences, prenant les choses pour ce qu'elles sont vraiment. Nous apprenons à *faire confiance à notre propre système de contrôle intérieur — nos sens et nos réactions*. Ignorer ou négliger cette composante essentielle de nous-même est maintenant chose du passé. Nous sommes ouvert à nos sentiments, à nos sens et à nos réactions, qui composent une partie importante de notre Moi véritable.

Lorsque cela s'avère utile, nous recourons au processus appelé « partage et vérification » mentionné précédemment (Gravitz, Bowden, 1985). Nous partageons un peu à la fois, et nous attendons la réaction de l'autre. Si nous avons l'impression qu'il nous écoute, qu'il nous a entendu, qu'il est authentique avec nous, et qu'il ne nous rejettera pas ni ne nous trahira, nous pouvons choisir de partager encore, puis nous procédons à une nouvelle vérification.

Ne plus être une victime

Nous commençons aussi à observer les relations entre nos agissements actuels et ceux de notre enfance. À mesure que nous confions notre histoire, nous nous libérons des chaînes d'être une victime ou un martyr et de la compulsion de répétition.

Richard, 42 ans, père de trois enfants, était un homme d'affaires prospère. Il s'était marié à deux reprises à des femmes qui s'étaient avérées être alcooliques. Il était à ce moment en instance de divorce d'avec sa seconde épouse.

« Jusqu'à présent, je ne m'étais jamais rendu compte de mes actes. Grâce à mon conseiller et à ce groupe, j'ai découvert un mode de comportement qui me faisait du mal. Ma mère était alcoolique, même si je faisais semblant de ne pas m'en apercevoir, et je ne l'avais pas admis jusqu'à ce jour. Je suppose que je n'ai jamais pu l'aider, alors je devais partir — sans me rendre compte de ce que je faisais — pour trouver une femme que je *pourrais* aider. Mais je n'ai pu être utile à aucune d'elles. Le groupe de thérapie Al-Anon et ce groupe-ci m'ont aidé à en prendre conscience. Cela m'a permis d'ouvrir les yeux pour ne pas répéter les mêmes erreurs. Désormais, je me sens beaucoup mieux. »

Richard a transformé une partie de sa vie, c'est-à-dire la manière dont il crée et vit sa propre histoire. Il a transformé sa conscience, ses actions et ses comportements. Le témoignage qu'il nous livre maintenant est celui du rétablissement d'une personne qui jouait un rôle de martyr ou de victime et qui présentait des comportements compulsifs de répétition. Il est maintenant beaucoup plus conscient de ses sentiments et de ses actes. Comme nous l'avons expliqué dans la section « Raconter notre histoire » à la page 153, il a maintenant dépassé le stade de martyr/victime et il se retrouve maintenant dans celui du héros. La liste suivante présente de plus amples descriptions de certaines composantes de ces deux extrémités de la transformation.

Cycle martyr/victime	Cycle du héros ou de l'héroïne
• Faux moi	• Vrai Moi
• Réduction du Moi	• Développement personnel
• Difficulté à être dans le moment présent	• Moment présent
• Expériences inachevées	• Expériences achevées ou en cours d'achèvement
• Peu de droits personnels	• Nombreux droits personnels
• Stagnation, régression	• Croissance
• Peu de partage	• Partage avec discernement
• Rien de nouveau	• Histoire qui évolue
• Compulsion de répétition	• Témoignage
• Impulsif et compulsif	• Spontané et fluide
• Grande part d'inconscient	• Grande part de conscient
• Empêtré inconsciemment	• Progressivement conscient de devenir et d'être
• Aucune convergence	• Centre de convergence
• Ne suit pas un programme de recouvrance	• Suit un programme de recouvrance
• Moins ouvert aux commentaires d'autrui	• Ouvert aux commentaires de proches sécurisants
• Divers degrés d'accoutumance	• Travaille sur sa douleur et apprécie sa joie
• Agit seul	• Cocréateur

- Souvent grandiloquent
- Quelques possibilités et choix

- « Rêves malheureux »

- Exclut une Puissance
  supérieure
- Maladie

- Malédiction

- Humble mais confiant
- Davantage de possibilités
  et de choix

- « Rêves heureux »
  (*A Course in Miracles*)

- Inclut la Puissance
  supérieure
- Santé

- Cadeau

Au cours de recouvrance, nos questions fondamentales refont plusieurs fois surface et nous continuons à en être plus conscient à mesure que nous travaillons sur elles. De cette façon, nous découvrons que ces questions ne sont pas isolées, mais plutôt qu'elles *interagissent avec* d'autres, en même temps qu'elles *contiennent* d'autres questions fondamentales. Par exemple, la question de confiance interagit souvent avec les problèmes d'extrémisme, de contrôle et de piètre estime de soi.

Lâcher prise, s'en remettre à quelqu'un et pardonner

Plusieurs personnes s'inscrivent dans un programme Douze Étapes ou dans d'autres programmes de recouvrance, afin de traiter leur alcoolisme, leur accoutumance à une substance chimique, leur codépendance, leurs excès de table, etc. Ils participent régulièrement aux rencontres, parfois depuis deux ans ou plus, mais ils ne trouvent pas le bonheur pour autant. Souvent, dans une rencontre d'entraide basée sur les Douze Étapes, lorsque quelqu'un soulève une question reliée à sa famille, à sa colère ou à sa confusion, le groupe tend à éviter ces sujets ou quelqu'un dira : « Pourquoi ne pas vous en remettre à une Puissance supérieure? » Comme s'il était aisé de nous libérer sur-le-champ de cette confusion et de cette souffrance.

Mais nous ne pouvons nous en remettre à qui que ce soit sans d'abord connaître l'*objet* de notre tourment. Nous avons besoin de le connaître *en profondeur*, par exemple en commençant par revivre le conflit, les sentiments et les frustrations. Il ne s'agit *pas* de les ressentir *intellectuellement*, mais émotionnellement, avec *notre cœur et nos « tripes »*, au plus profond de notre être. Nous pouvons faciliter cette expérience en prenant des risques, en parlant et en racontant notre histoire à des personnes en qui nous avons confiance. Qu'il soit passé ou présent, plus notre mal est profond, plus nous devrons raconter cette peine et faire le deuil de nos besoins insatisfaits. Cela peut prendre des semaines, des mois ou quelquefois des années de dialogues et de confidences à propos de nos sentiments et de nos blessures.

C'est seulement après avoir identifié notre douleur et l'avoir ressentie jusqu'au bout que nous pouvons entrevoir la *possibilité* d'un *choix* qui s'offre à nous. Nous avons le choix entre continuer ou arrêter de souffrir à cause de ces tourments et de ces peines. Si nous choisissons de mettre fin à nos souffrances et que nous nous y sentons prêt, nous pouvons alors nous en *libérer*. C'est en général à ce moment-là que nous pouvons faire « peau neuve » et nous libérer de la souffrance. Ce travail par étapes comporte plusieurs appellations, notamment le travail de pardon, le travail de détachement, l'appel à une Puissance supérieure, le *decathexis*, ou simplement le « lâcher prise ». Ce processus peut être résumé ainsi :

1. Prendre *conscience* de sa peine ou de sa préoccupation;

2. La *ressentir*, en témoigner;

3. Envisager la *possibilité* d'un *choix* qui s'offre à nous pour mettre fin à notre souffrance, puis...;

4. S'en *libérer*.

Pour libérer l'Enfant en soi, nous devons passer par un processus d'identification et de conscientisation, expérimenter, puis lâcher prise. Étant donné que plusieurs d'entre nous ont souffert de nombreuses pertes non assumées, il nous faudra peut-être beaucoup de temps avant de les surmonter. Cela mettra notre *patience* à l'épreuve. Pour plaisanter, certains se réfèrent à la prière de la patience : « Ô Seigneur, accordez-moi la patience, et tout de suite! »

L'affirmation de soi

Au cours du stade de la transformation visant la réhabilitation de notre Enfant intérieur, nous commençons à prendre conscience de la différence entre l'affirmation de soi et l'agressivité. L'agressivité fait généralement partie d'un comportement d'attaque envers une autre personne — attaque verbale, non verbale, physique — qui *peut* faire obtenir l'objet désiré, mais qui crée un sentiment de malaise chez les intervenants. Par contre, le fait de nous affirmer contribue à nous faire obtenir ce que nous voulons ou ce dont nous avons besoin, mais *sans* laisser un goût d'amertume chez les intervenants. En fait, le principal indicateur de l'affirmation de soi tient du bon climat entre les intervenants après une interaction.

De nombreux enfants ayant grandi dans des familles perturbées ou dysfonctionnelles apprennent à être manipulateurs ou agressifs *ou* bien à se retirer. Ils n'obtiennent jamais ce qu'ils veulent ou ce dont ils ont besoin. Ils

n'ont pratiquement jamais vu de modèle de revendication, on ne leur a jamais appris comment s'affirmer, et ils
deviennent des adultes qui adoptent un comportement
fondé sur l'agressivité, la manipulation, la passivité, la
flagornerie ou un mélange de tous ces modèles.

Si nous nous affirmons, nous obtiendrons ce que nous
voulons ou ce dont nous avons besoin. Mais cela ne s'apprend pas sans pratique. Il est conseillé de pratiquer la
revendication et l'affirmation de soi en compagnie de personnes en qui nous avons confiance et qui nous soutiennent, comme les membres de notre groupe de thérapie.
Certains, toutefois, préféreront prendre des cours d'affirmation de soi, offerts à des prix abordables dans la plupart des communautés.

Bob, un comptable de 30 ans, se joignit à un groupe
de thérapie destiné aux enfants-adultes de familles perturbées. Il était timide, replié sur lui-même et silencieux.
Il avait beau essayer, il ne réussissait jamais à faire entendre ses arguments devant le groupe. Un membre de
ce groupe qui avait suivi des cours d'affirmation de soi
lui conseilla d'en faire autant. Après ce cours, Bob devint
de plus en plus actif et expressif tant au sein du groupe
qu'à l'extérieur. « J'ai appris à dire ce que je pense », nous
dit-il. « À présent, lorsque quelque chose me déplaît ou
que j'ai besoin de quelque chose, je le dis à haute voix.
Cela exige encore des efforts de ma part, mais je m'oblige
à parler après avoir réfléchi à ce que je dirai. Chaque fois
que je réussis à m'affirmer, la chose me semble plus facile. »

Lorsque nous nous transformons et que nous nous
affirmons, cela peut surprendre notre entourage. Des gens
peuvent essayer de nous convaincre que quelque chose
ne va pas chez *nous* depuis que nous avons changé.

Joe, 52 ans, marié, père d'un enfant, avait grandi dans une famille perturbée qui avait beaucoup de difficulté à respecter les limites des autres, se mêlant toujours de leurs affaires. Son enfance et une partie de sa vie d'adulte s'était déroulée dans la confusion, le ressentiment et la tristesse. Pendant sa recouvrance, il commença à s'affirmer beaucoup plus et il prit de l'assurance. « Dernièrement, lorsque j'ai résisté à mon père alors qu'il me malmenait, je me suis senti fier de moi puisque je m'affirmais. Plus tard, ma mère qui m'avait vu m'affirmer confia à ma sœur : "Je ne sais pas quelle mouche a piqué Joe. Il est tellement différent. Je me demande ce qui *ne tourne pas rond* chez lui." Comme si elle croyait que j'étais devenu cinglé. Si je n'avais pu me confier à mon épouse et à ce groupe, je l'aurais probablement cru. Mais je sais que je ne suis pas fou. En réalité, je *vais beaucoup mieux.* »

Joe connaît une expérience similaire à toutes les personnes en voie de recouvrance et qui prennent soin de leur Enfant intérieur. Souvent, les personnes qui nous ont connu dans le passé ou qui nous connaissent maintenant remarquent le changement qui s'est produit en nous et *elles* craignent de devoir elles aussi changer à un moment donné. Une peur latente peut s'accumuler en elles à un point tel que, pour y faire face, elles doivent la décharger sur quelqu'un d'autre, souvent sur la personne dont elles ont pu observer le changement. Certains perçoivent comme une menace les changements qui surviennent chez ceux qu'ils côtoient.

Une « charte des droits » personnelle

Pendant le stade de la transformation, nous découvrons peu à peu que nous avons des droits en tant qu'être humain. Enfant ou même adulte, nous pouvons avoir été traité par les autres comme si nous avions peu de droits ou n'en avions pas. Avec le temps, nous finissons par croire que nous n'en avons aucun. Nous vivons alors notre vie dans cet esprit.

À mesure que notre Enfant intérieur se rétablit, nous pouvons nous composer une « charte des droits » personnelle. Lors des thérapies de groupe que j'ai dirigées, j'ai demandé aux participants d'écrire leurs droits et de les lire devant les autres. Voici un inventaire de droits dressé par plusieurs de ces groupes.

1. Plusieurs choix s'offrent à moi au-delà de la simple survie.

2. J'ai le droit de découvrir et de connaître mon Enfant intérieur.

3. J'ai le droit de m'attrister à propos de ce dont j'ai été privé et de ce que j'ai obtenu sans en avoir besoin et sans le souhaiter.

4. J'ai le droit de me conformer à mes valeurs personnelles.

5. J'ai le droit de reconnaître et d'accepter mon propre système de valeurs comme il me convient.

6. J'ai le droit de dire *non* à toute chose lorsque je ne me sens pas prêt, que c'est dangereux et que cela va à l'encontre de mes valeurs personnelles.

7. J'ai le droit à la dignité et au respect.

8. J'ai le droit de prendre des décisions.

9. J'ai le droit de définir et de respecter mes priorités.

10. J'ai le droit de voir mes besoins et mes désirs respectés par les autres.

11. J'ai le droit de mettre fin aux conversations avec ceux qui m'humilient et qui me mésestiment.

12. J'ai le droit de n'être *pas* responsable du comportement, des actions, des sentiments et des problèmes des autres.

13. J'ai le droit de faire des erreurs et de n'être pas parfait.

14. J'ai le droit de m'attendre à ce que les autres soient honnêtes avec moi.

15. J'ai le droit de ressentir chacun de mes sentiments.

16. J'ai le droit d'être en colère contre quelqu'un que j'aime.

17. J'ai le droit d'être moi, sans croire que je suis un bon à rien.

18. J'ai le droit d'avoir peur et de l'avouer.

19. J'ai le droit de ressentir ma peur, ma culpabilité et ma honte et ensuite d'y laisser libre cours.

20. J'ai le droit de prendre des décisions fondées sur mes sentiments, mon jugement ou n'importe quelle raison que je choisis.

21. J'ai le droit de changer d'avis en tout temps.

22. J'ai le droit d'être heureux.

23. J'ai droit à la stabilité, par exemple prendre racine et établir des relations saines et stables choisies par moi.

24. J'ai le droit d'avoir mon espace vital et du temps pour moi.

25. Je n'ai pas besoin de sourire lorsque je pleure.

26. J'ai le droit d'être détendu, enjoué et frivole.

27. Ce faisant, j'ai le droit de m'adapter aux circonstances et d'être à l'aise.

28. J'ai le droit de changer et de croître sur le plan personnel.

29. J'ai le droit d'être ouvert à l'amélioration de mes habiletés à communiquer, de sorte que je me fasse mieux comprendre.

30. J'ai le droit d'avoir des amis et d'être à l'aise en compagnie de mes semblables.

31. J'ai le droit de vivre dans un environnement non abusif.

32. Je peux être en meilleure santé que ceux qui m'entourent.

33. Je peux me prendre en charge en toute circonstance.

34. J'ai le droit de faire le deuil de mes pertes présentes ou passées.

35. J'ai le droit d'accorder ma confiance à ceux qui la méritent.

36. J'ai le droit de pardonner aux autres ainsi qu'à moi-même.

37. J'ai le droit de donner et de recevoir l'amour inconditionnel.

Vous pouvez réfléchir à chacun de ces droits et voir si vous en disposez. J'estime que chaque être humain doit jouir de l'ensemble de ces droits et bien plus encore. À mesure que nous nous transformons, nous commençons à intégrer ces changements à l'ensemble de notre existence.

Chapitre 14

L'intégration

À mesure que nous nous transformons, nous commençons à *intégrer* cette transformation dans notre vie quotidienne et à la mettre en pratique. Par « intégrer », j'entends faire un tout à partir d'éléments distincts. Le rétablissement sous-entend un mouvement vers l'entièreté ou l'intégration (Epstein, 1986). Le rétablissement et l'intégration sont le contraire de la confusion et du chaos passés. Le travail sur soi effectué en cours de recouvrance fait appel aux connaissances nouvellement acquises que nous intégrons à notre quotidien afin de mieux vivre.

À ce stade, la confusion diminue progressivement, de même que notre difficulté à utiliser nos nouvelles connaissances. À présent, nous *faisons* simplement ce qui doit être fait, presque comme un réflexe.

Au stade de l'intégration, nous sommes ce que nous sommes et nous n'avons pas besoin de nous en excuser auprès de qui que ce soit. Nous pouvons maintenant nous détendre et nous amuser sans nous sentir coupable. Nous avons également appris à définir nos limites lorsque cela est nécessaire pour la satisfaction de nos besoins. Nous connaissons nos droits et nous agissons en conséquence.

Le *processus* de rétablissement de notre Enfant intérieur (schéma 3) apparaît alors clairement. En observant attentivement cette illustration, nous voyons que la recouvrance n'est pas un événement statique et que le fait qu'elle survienne ne nous fait pas automatiquement goûter la vie. La guérison ne correspond pas au principe du « tout ou rien ». C'est plutôt un *travail* continu qui se poursuit sans cesse ici et maintenant, dans une multiplicité de lieux et de temps.

L'éveil ne survient pas d'un coup. Nous nous éveillons maintes fois. De même qu'on prend des risques et qu'on se confie à plusieurs reprises. Nous racontons plusieurs fois notre histoire, nous en souffrons parfois, nous grandissons et, tout compte fait, nous aimons la vie.

Nous commençons à identifier nos pertes passées et présentes, et nous en faisons le deuil à mesure qu'elles surviennent. Nous parlons des questions reliées aux fondements de l'être et nous travaillons sur elles. À mesure que nous identifions nos problèmes, nous pouvons en découvrir deux qui sont souvent présents : la pensée et le comportement excessifs, ainsi que le contrôle. Selon l'importance et le nombre de nos pertes non assumées, il nous a peut-être fallu utiliser cette manière de pensée et ce comportement pour survivre (voir la partie supérieure gauche du schéma 3). Enfant, nos moyens étaient limités. Mais depuis que nous nous retrouvons au stade de la transformation et de l'intégration, nous commençons à nous libérer de l'emprise de nos pertes. Ce faisant, nous nous apercevons que notre besoin de contrôler diminue progressivement.

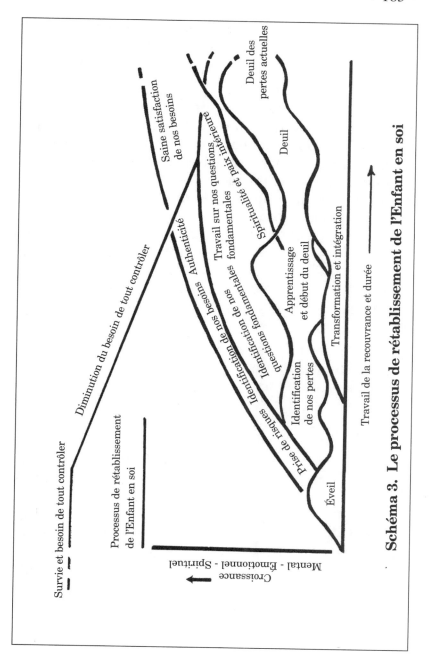

Schéma 3. Le processus de rétablissement de l'Enfant en soi

Nous commençons à identifier nos besoins et nous découvrons des moyens d'y pourvoir sainement. C'est alors que nous commençons à mettre en pratique l'authenticité en devenant notre Moi véritable.

D'ordinaire, le rétablissement de notre Enfant intérieur ne suit pas une courbe linéaire, comme pourrait le suggérer certaines séquences du schéma 3. Il tend plutôt à survenir par vagues circulaires qui se transforment en une spirale, tout comme notre histoire. Chaque fois que nous mettons fin à un épisode particulier de notre histoire et que nous l'intégrons, nous devenons libre de créer une nouvelle histoire plus intéressante et plus honnête. Une partie de cette vérité et de cette honnêteté provient de l'authenticité de notre Moi véritable. Durant notre évolution et notre croissance, nous accumulons des histoires encore meilleures et nous les intégrons à notre vie (*cf.* schéma 4).

Durant les phases de notre rétablissement, de notre intégration et de notre croissance, nous aurons parfois l'impression de régresser comme si nous retournions en arrière. Nous aurons l'impression de perdre ce que nous avons gagné. Nous en sortirons confus, désespéré, blessé. C'est un point crucial dans notre histoire et dans notre vie. Voilà l'occasion d'apprendre quelque chose d'important sur notre Enfant intérieur. Car si nous demeurons fidèles à nos sentiments et à nos expériences de l'instant présent, même si tout semble perdu, nous découvrirons probablement que nous pouvons nous libérer de notre douleur en l'*affrontant*. Nous le faisons en assumant notre douleur et en la racontant à des proches en qui nous avons confiance.

Nous ressortirons également grandi d'avoir connu la joie et la douleur dans la solitude. C'est souvent dans

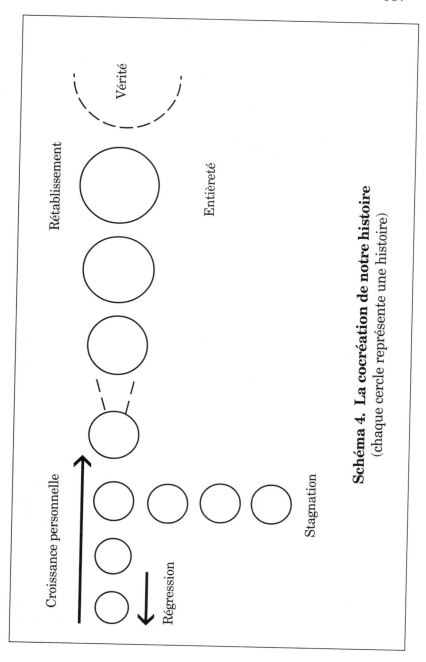

Schéma 4. La cocréation de notre histoire
(chaque cercle représente une histoire)

une période de solitude que nous viendra l'idée de l'existence d'une force supérieure à nous. C'est certes une période difficile à traverser, mais si nous osons le faire, avec
humilité et confiance, en nous disant : « Si Dieu ou une
Puissance supérieure existe, s'il vous plaît, aidez-moi. »

Ce processus nous est maintenant familier. Il ne s'agit
plus simplement de raconter notre histoire, mais aussi
d'identifier une perte à mesure qu'elle survient afin de
l'assumer. Lorsque nous assumons cette perte et que nous
la confions à quelqu'un, nous pouvons entrevoir une nouvelle possibilité : prendre du recul et *l'observer*. Ce recul
et cette observation nous permettent de voir un schème
commun à *plusieurs* de nos histoires, qui les fait se rami-
fier et s'enchevêtrer, avancer et régresser, suivant une
courbe ascendante qui va en s'élargissant (*cf.* schéma 5).
Avec le temps, cette courbe constitue notre recouvrance
et notre croissance personnelle.

Lorsque nous étions enfants, nous devions tolérer les
mauvais traitements afin de survivre dans cet environnement. À présent, nous n'avons plus à tolérer d'être maltraité. Nous avons le choix.

L'intégration survient souvent entre la troisième et
la cinquième année d'un programme de recouvrance complète. Lorsque le stress nous ramène à une sensation
reliée au simple stade de la survie, nous sommes maintenant capable de nous « éveiller » et de reconnaître rapidement une question reliée aux fondements de l'être, de
refaire rapidement le cycle de la transformation, de nous
rappeler ce qui s'est produit, de savoir comment ne pas
être maltraité, et comment fixer nos limites et nos choix
personnels (Gravitz, Bowden, 1986). Nous n'avons plus à
gaspiller notre énergie à dénier, puisque désormais nous
ressentons et nous voyons les choses comme elles sont

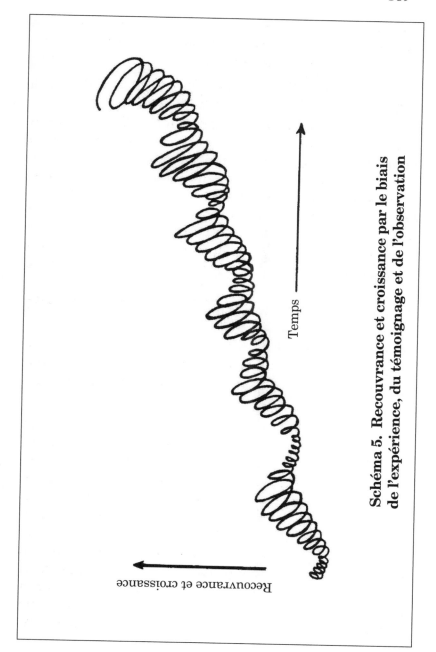

Schéma 5. Recouvrance et croissance par le biais de l'expérience, du témoignage et de l'observation

vraiment. En ce qui concerne notre passé, nous y reve-
nons mais pour une très courte période.

Nous n'avons pas à faire l'effort de réfléchir consciemment sur ce qui vient d'arriver, bien qu'il soit normal de
le faire. Nous passons directement à l'action. Nous réclamons en entier notre Moi véritable, incluant le droit d'*être*
vraiment nous-même lorsque nous le souhaitons, et de
ne *pas* l'être dans certaines situations et en compagnie
de certaines personnes. Lorsque nous vivons une nouvelle perte, que nous sommes effrayé, fâché ou que nous
régressons en âge, nous reconvertissons tout cela, parfois rapidement, parfois lentement.

Nous précisons nos limites personnelles avec les gens.
S'ils continuent à nous maltraiter ou à nous ignorer, nous
pouvons répliquer : « Non, vous ne pouvez plus faire ça »
ou nous partons. Nous n'attendons plus sous la pluie en
prétendant qu'il ne pleut pas (Gravitz, Bowden, 1986).
Nous ne sommes plus une victime ou un martyr.

Le chemin parcouru en vue de rétablir notre Enfant
intérieur peut être partiellement résumé par le poème
qui suit de Portia Nelson.

Autobiographie
en cinq courts chapitres

1. *Je marche dans la rue.*
   Il y a un trou profond dans le trottoir.
   J'y tombe.
   Je suis perdue… Je suis désespérée.
   Ce n'est pas ma faute.
   Il me semble que ça prendra une éternité
   avant que je puisse en sortir.

2. *Je marche dans la même rue.*
   Il y a un trou profond dans le trottoir.
   Je feins de ne pas l'apercevoir.
   J'y tombe de nouveau.
   J'ai peine à croire
   que je suis rendu au même endroit.
   Mais ce n'est pas ma faute.
   Il me faudra beaucoup de temps
   avant de pouvoir en sortir.

3. *Je marche dans la même rue.*
   Il y a un trou profond dans le trottoir.
   Je l'aperçois.
   Mais je tombe encore… c'est devenu une habitude.
   Mes yeux sont ouverts.
   Je sais où je suis.
   *C'est **ma** faute.*
   J'en sors immédiatement.

4. *Je marche dans la même rue.*
   Il y a un trou profond dans le trottoir.
   Je le contourne.

5. *Je marche dans une autre rue.*

© Portia Nelson 1980

Chapitre 15

Le rôle
de la spiritualité

La spiritualité englobe tellement de choses reliées à la recouvrance que, dans ce court chapitre, je ne pourrai qu'effleurer le sujet. Pourtant cette notion constitue un élément fondamental de la démarche de rétablissement de notre Enfant intérieur.La spiritualité est la dernière étape de notre recouvrance. Paradoxalement, nous ne pouvons pas simplement parler d'étape, puisqu'il s'agit d'un processus continu qui se poursuit à travers la souffrance, le rétablissement et la sérénité.

Première définition de la spiritualité

Définissons-la succinctement en disant que la spiritualité touche notre *relation* avec nous-même, les autres et l'univers. Elle est caractérisée par plusieurs concepts et plusieurs principes clés, notamment celui qui affirme qu'elle est *paradoxale*. En effet, des entités, des expériences et des états en apparence contradictoires coexistent paisiblement au sein de la spiritualité. Par exemple, la spiritualité est à la fois *subtile* et *puissante*. Comparons-la au souffle qui nous tient en vie, à la respiration. Nous respirons toute la journée sans en prendre conscience. Pourtant nous ne pourrions vivre sans respirer.

La spiritualité est *personnelle*. Chacun de nous doit découvrir la sienne, à sa manière. La spiritualité est extrêmement *utile*, puisqu'elle touche un large éventail de sujets essentiels à l'existence, qu'il s'agisse de la confiance ou de la capacité à se libérer de la souffrance. La spiritualité est de plus fondée sur *l'expérience*. Pour l'apprécier, il est nécessaire d'y recourir et de reconnaître sa présence. Nous ne pouvons l'appréhender simplement par le biais de l'intellect et de la raison. Elle n'est pas une connaissance intellectuelle mais un état.

Il est *difficile de décrire* la spiritualité. C'est un champ tellement vaste que, malgré tous les ouvrages et tous les enseignements des plus grands maîtres spirituels, elle demeure insondable. La spiritualité *englobe tout* et elle nous est d'un *grand secours*. Elle ne rejette rien. C'est ici que la religion organisée fait son entrée, puisqu'elle fait partie de la spiritualité. Donc, bien que *la spiritualité ne soit pas une religion organisée*, elle l'inclut, la soutient puis la transcende.

La spiritualité *apaise, favorise la croissance personnelle* et, en dernier lieu, elle *comble l'être humain*. L'aventure de la découverte et du rétablissement décrite dans cet ouvrage est un voyage spirituel même si au début nous ne le percevons pas ainsi. Au fur et à mesure que nous accédons à chacun des stades, la prochaine étape s'ouvre devant nous. En passant d'un stade à un autre, nous n'abandonnons pas les stades précédents. Nous les *transcendons* plutôt. Ce qui signifie que nous les respectons, et que nous les employons de manière spontanée et appropriée, mais que nous agissons en fonction d'un niveau de conscience entièrement nouveau. Ces différents niveaux de conscience correspondent avec plusieurs descriptions de notre cheminement spirituel.

Visualiser notre cheminement spirituel

Dans les années 40 et 50, Maslow a établi une hiérarchie des besoins humains (*cf.* tableau 14) qui se lisent ainsi, de bas en haut : (1) la physiologie, soit le fonctionnement de base ou la survie; (2) la sécurité; (3) le sentiment d'appartenance et l'amour; (4) l'actualisation de soi, par exemple connaître notre Moi véritable et être en harmonie avec lui; et (5) la transcendance ou la spiritualité, par exemple la réalisation du potentiel de notre Moi véritable, de notre Moi supérieur. Ces besoins correspondent à ceux dont nous parlions dans le quatrième chapitre et au tableau 2, où nous énumérons en détail les besoins humains. Ils correspondent de plus avec la découverte et le rétablissement de l'Enfant en soi décrits tout au long de cet ouvrage. Finalement, ils correspondent aux différents niveaux de la conscience humaine.

À mesure que nous acquérons différentes méthodes de conceptualisation du cheminement vers la recouvrance, nous nous rendons compte que ces chemins sont semblables. En fait, c'est le même cheminement avec différentes approches. Ces trois méthodes correspondent également aux Douze Étapes de la recouvrance : survivre à l'alcoolisme actif (ou à une dépendance à une substance chimique, à la codépendance, aux excès alimentaires, ou à d'autres formes de souffrance ou de mauvais traitements), admettre l'existence du problème, puis passer de l'isolement à la confidence, incluant finalement le dialogue avec une Puissance supérieure. À mesure que nous progressons dans ce travail des Douze Étapes, nous en

Tableau 14. Hiérarchies similaires des besoins humains, du développement et de la conscience (se lit de bas en haut)

Besoins humains	Rétablir l'Enfant en soi	Niveaux de conscience
		• Unité
	• Recourir à la spiritualité	
		• Compassion
• Transcendance		
	• Intégration	• Compréhension (créativité, connaissance innée)
• Actualisation de soi	• Transformation	• Acceptation par le biais de conflits (cœur)
	• Traiter avec les questions fondamentales (exploration)	• « Pouvoir » (mémoire, ego, « identité »)
• Appartenance et amour	• Conscience émergence de la conscience)	
• Sécurité		• Passion (émotions, sexualité primaire)
• Physiologie	• Survie	• Survie (couvert, gîte, maladie)

arrivons à l'auto-examen, de la catharsis et du changement de personnalité, suivis de l'amélioration des relations personnelles, de l'altruisme et de la découverte de la sérénité.

Au cours du rétablissement de notre Enfant intérieur, nous nous rendons compte que celui-ci n'est pas limité à un ou deux niveaux de conscience mais plutôt qu'il correspond aux sept niveaux apparaissant au tableau 15.

**Tableau 15. Niveaux d'être et de conscience
de l'Enfant en soi** (se lit de bas en haut)

• Enfant qui aime inconditionnellement

• Enfant compatissant

• Enfant créatif

• Enfant qui lutte et grandit intérieurement

• Enfant qui réfléchit et qui raisonne

• Enfant sensible

• Nouveau-né sans défense

LE NOUVEAU-NÉ SANS DÉFENSE

En parcourant de bas en haut le tableau 15, nous notons qu'une partie de cet Enfant en soi ressemble à un nouveau-né sans défense qui a besoin qu'on s'occupe de lui et qu'on le nourrisse. En franchissant les étapes du développement, nous avons d'abord besoin d'affection, d'amour et de soins. C'est seulement lorsque ces besoins seront satisfaits que nous serons prêt à accéder au prochain stade de développement. Puisqu'un grand nombre d'enfants négligés ou maltraités n'ont pas pu satisfaire ces besoins élémentaires, ils n'ont pu achever cette étape de leur développement. L'une des tâches de leur recouvrance consiste donc à apprendre à combler leurs besoins et à recevoir des soins, de sorte qu'ils puissent évoluer à travers cette étape et parachever leur développement.

Nous découvrons également qu'une seule personne est en mesure de nous procurer les soins et l'amour dont nous avons besoin, et que cette personne n'est autre que nous-même. Non pas cette partie de nous qui est notre moi codépendant, mais plutôt la totalité de notre Enfant intérieur. Cet Enfant en soi est à la fois celui qui nous nourrit affectivement *et* ce nouveau-né sans défense, en plus de tout le reste! *Nous sommes notre propre pourvoyeur émotionnel.* Nous devons nous assurer que nous comblons tous nos besoins. Parfois, nous pouvons réclamer l'aide d'un autre, mais nous sommes essentiellement responsable de la satisfaction de nos propres besoins. Le tableau 2 du quatrième chapitre énumère ces besoins.

L'Enfant sensible

L'enfant présent en nous, celui qui prend conscience de ses sentiments, est rempli d'émotions. Ce niveau, au même titre que les autres niveaux, est interrelié aux autres. Notre Enfant sensible nous prévient que quelque chose mérite notre attention. Ce peut être quelque chose qui ne va pas, un danger réel, une peine ou quelque chose d'agréable, ou une réaction émotive face à un événement passé. Quoi qu'il en soit, nous y sommes désormais attentif (*cf.* chapitre 10 sur les sentiments).

L'ENFANT QUI RÉFLÉCHIT ET QUI RAISONNE

Cet Enfant est lié à notre ego, à notre esprit ou à notre Moi. C'est ce que beaucoup de gens voient comme leur identité. Il est souvent perçu à tort comme le siège du pouvoir. Mais ce n'est qu'une facette de nous-même.

Notre Enfant qui réfléchit et qui raisonne est peut-être le seul élément du Moi véritable qui soit directement associé au moi codépendant. On peut même affirmer qu'ils sont copains. Cet Enfant comprend le moi codépendant et il peut fonctionner de concert avec lui lorsqu'il nous *faut* recourir à la codépendance. Chez plusieurs personnes, nous assistons à un développement excessif de l'Enfant qui réfléchit et qui raisonne, et du moi codépendant.

Au fur et à mesure de notre recouvrance entrent en scène les autres composantes de l'Enfant intérieur, qui nous apprennent l'équilibre, l'intégration, l'individuation et l'entièreté.

L'ENFANT QUI LUTTE ET GRANDIT INTÉRIEUREMENT

Cet Enfant équivaut au niveau du « cœur » de la conscience, et il fournit la clef conduisant au Moi supérieur et à la sérénité. Il constitue le lien entre notre Moi supérieur et notre moi inférieur. Le terme « acceptation par le biais du conflit » résume bien la situation. Cela signifie qu'il faut accepter les faits, d'abord en les reconnaissant ou en en prenant conscience, puis en travaillant sur la douleur *ou* en appréciant le plaisir, puis en découvrant la paix intérieure. Ceci est analogue au travail de deuil ou au travail de pardon : tourner la page, se détacher, lâcher prise. Cela ressemble aussi au témoignage. Ces processus nous *servent* à accepter et à grandir.

L'Enfant créatif

Avez-vous déjà eu l'impression qu'une chose était juste et vraie, d'en être même persuadé sans trouver d'explication rationnelle qui puisse le prouver? Notre Enfant créatif utilise ce que les hommes appellent « pressentiment » ou « instinct », et ce que les femmes nomment « intuition » dans notre vie de tous les jours. C'est la partie de nous-même qui possède une connaissance naturelle des choses. Les idées, les inspirations et les étincelles de génie surgissent régulièrement de cette facette de notre Enfant intérieur au cours de notre existence. Par exemple, c'est de cet Enfant créatif que naissent la plupart des chefs-d'œuvre de l'art, de la science et de la littérature.

Toutefois, notre moi codépendant peut parfois tenter de se dissimuler derrière l'Enfant créatif, et ses intuitions nous induisent souvent en erreur. En conséquence, nous devons vérifier nos inspirations et nos intuitions, et voir quelle tournure elles prennent. Si elles nous sont favorables, il y a de fortes chances qu'elles proviennent de notre Enfant créatif. Sinon, elles sont peut-être issues de notre faux moi. Plusieurs ouvrages traitent de ce sujet, par exemple celui de Frances Vaughan intitulé *Awakening Intuition*, ainsi que *Alcoholism and Spirituality*, dont je suis l'auteur.

L'Enfant compatissant

Vous est-il déjà arrivé d'être en compagnie d'une personne qui vous fait des confidences et d'être touché à ce point par ses propos qu'une larme perle à vos yeux? Ce qui ne vous empêche pas de savoir que, tout en étant ému par cette souffrance ou par cette joie, *rien* ne sert de se porter à son secours ou de tenter de changer cette personne. Lors d'une telle expérience, nous sommes en contact direct avec l'Enfant compatissant. Ou mieux, nous *sommes* cet Enfant compatissant.

Cet Enfant est en quelque sorte l'opposé ou le miroir de notre Enfant passionné. Notre Enfant passionné peut vouloir voler au secours d'une personne ou la changer. Nous notons aussi que notre Enfant créatif est le miroir de notre Enfant qui réfléchit et qui raisonne. Pour sa part, notre Enfant qui aime inconditionnellement est l'opposé du Nouveau-né sans défense (*cf.* tableau 15).

L'ENFANT QUI AIME INCONDITIONNELLEMENT

Cette facette de nous-même est la plus difficile à cerner et à mettre en pratique. Lorsque nous avons été maltraité pendant notre enfance — ou encore maltraité — nous sommes incapable d'aimer quiconque de façon inconditionnelle, à commencer par nous-même. En raison de cette difficulté, et parce que je crois que c'est là une question fondamentale pour les enfants-adultes victimes de traumatismes, j'en parlerai plus en détail.

L'amour et l'amour inconditionnel

On retrouve fréquemment des caractéristiques communes chez ceux qui ont subi de mauvais traitements, dont une piètre estime de soi, le sentiment de n'être pas à la hauteur, de n'avoir aucune valeur. Ces caractéristiques sont également présentes chez ceux qui sont minés par l'alcoolisme, par une dépendance aux substances chimiques, par la codépendance, par un trouble relié à l'alimentation ou par tout autre état qui nous fait nous sentir comme une victime. En raison de différents facteurs, notamment l'incapacité de contrôler notre consommation d'alcool, de stupéfiants, d'aliments, ou nos relations avec certaines personnes, *etc.*, nous en venons à croire que nous sommes indigne d'être aimé.

Plutôt que de nous croire indigne d'être aimé, nous finissons par penser que nous n'avons pas *besoin* d'être aimé. Nous traduisons cette pensée en émettant des messages comme : « Je n'ai pas besoin d'être aimé » et même : « Je refuserai l'amour de qui que ce soit » (Gravitz, Bowden, 1985). De cette façon, nous finissons par atrophier nos sentiments ou développer une incapacité à ressentir pleinement nos émotions, particulièrement l'amour.

Souvent au cours de recouvrance, alors que nous recevons l'amour inconditionnel d'un groupe d'entraide ou de thérapie, d'un conseiller, d'un parrain ou d'un ami, nous commençons à nous rendre compte des effets bénéfiques de l'amour. Certes l'amour est notre ressource la plus puissante et il faut compter des années d'amour avant de voir une amélioration à long terme. C'est seulement alors que nous pourrons commencer à aimer les autres en retour.

Malheureusement nous considérons souvent l'amour comme une expérience ou une entité restrictives, par exemple la notion de « tomber amoureux » ou celle de la passion excessive. Pendant notre recouvrance, nous apprenons que l'amour n'est pas simplement un sentiment. Il est aussi une *énergie* qui se manifeste par un *engagement et une volonté de grandir dans le but de contribuer à notre croissance personnelle ainsi qu'à celle de l'autre*, ce qui englobe les dimensions physique, mentale, émotionnelle et spirituelle (Peck, 1978).

À mesure que nous progressons sur la voie de la recouvrance, nous commençons à nous rendre compte qu'il existe plusieurs sortes d'amour. Je les présente dans le tableau 16 en fonction des sept niveaux de la conscience.

Sous cet angle, nous pouvons voir que pour le moi inférieur l'amour est une nécessité, un coup de foudre ou un
engouement, une possession, une grande admiration ou
même de l'adulation; bref, il s'agit de la vision romanti-
que traditionnelle de l'amour. Plusieurs personnes qui
ont grandi dans des familles perturbées et dont l'Enfant
en soi a été réprimé s'attachent à cette vision inférieure
de l'amour. En rétablissant notre Enfant intérieur, nous
découvrons peu à peu des niveaux plus évolués de l'amour
et, à force de travail, nous finissons par les transcender.
Cela inclut l'affection (même dans le conflit), le pardon,
la confiance, l'engagement de grandir à l'intérieur de nous-
même et dans la relation avec l'être aimé, l'empathie et
l'acceptation inconditionnelles ainsi que la paix de l'être.
Par la reconnaissance, l'expérience et le lâcher prise, ainsi
qu'au moyen de pratiques spirituelles enseignées un peu
partout, nous nous ouvrons graduellement à l'amour présent en chacun de nous (Whitfield, 1985).

Finalement, nous apprenons que l'amour est ce que
nous-même et notre Puissance supérieure utilisons pour
nous rétablir. C'est finalement l'amour guérisseur des
thérapies de groupe, du counselling, de l'amitié, de la
méditation et de la prière. *Alors nous n'avons plus peur
de l'amour et nous ne nous en éloignons plus, car nous
savons qu'il se trouve au cœur de notre être et qu'il nous
procure le moyen de rétablir notre Enfant intérieur.*

Notre Moi observateur

À mesure que nous progressons sur la voie de la recouvrance, nous découvrons qu'une partie de nous-même
— peut-être située dans le Moi supérieur de notre Enfant intérieur — est en mesure de prendre du recul pour
observer ce qui arrive dans notre vie quotidienne. Par

Tableau 16. Définition de certaines caractéristiques thérapeutiques et cliniques du Moi (niveaux 4 à 7) : l'amour, la vérité, le rétablissement et la puissance selon les niveaux de la conscience humaine. (Les niveaux 1 à 3 représentent les assises du moi inférieur.) (Selon Whitfield, 1985)

Hiérarchie de la conscience	Amour	Vérité	Rétablissement	Puissance
7. Conscience unitaire	• Être paisible	• Être paisible	• Être paisible	• Être paisible
6. Compassion	• Empathie et acceptation inconditionnelles	• Amour et acceptation	• Amour et acceptation	• Amour et acceptation
5. Compréhension	• Engagement à grandir	• Créativité	• Bonne décision	• Sagesse
4. Acceptation/cœur	• Pardon	• Pardon	• Pardon	• Pardon
3. Esprit/ego	• Adulation • Possession	• Expérience • Croyances	• Prévention, éducation, psychologie	• Affirmation • Persuasion
2. Passion	• Coup de foudre	• Sensations	• Dorloter	• Manipulation
1. Survie	• Nécessité	• Science	• Physique	• Force physique

exemple, plusieurs personnes deviennent très contrariées, puis elles se détachent de leur problème à un point tel qu'elles se voient en train d'observer l'objet de leur contrariété. Il leur arrive même de sortir de leur corps astral, de sorte qu'elles peuvent se voir ou voir une représentation d'elles-mêmes en train d'être contrariées. Il est possible de favoriser cette aptitude en s'adonnant à la visualisation ou à la fabrication d'images eidétiques dirigées (Small, 1985). En fermant les yeux, la personne visualise ou s'imagine la scène ou l'activité faisant l'objet de son mécontentement; elle peut alors découvrir une solution possible pour le contrer. On peut aussi y parvenir par la méditation qui est une méthode saine si on la pratique de manière constructive.

Deikman (1982), entre autres, nomme moi observateur cette partie de nous-même à la fois libératrice et puissante. Les ouvrages de psychologie orientale parlent plutôt de l'« ego observateur », sans explorer la nature particulière de l'ego et ses implications dans la compréhension du moi. Ce qui nous fait passer à côté des dynamiques, de la signification et de l'importance du moi observateur. Ces théories demeurent donc confuses.

Le moi observateur est l'élément pivot de notre recouvrance. Le schéma 6 illustre les liens entre le moi (ou moi objectal) et le moi observateur. Le moi s'intéresse à la pensée, aux sentiments, aux actes, aux désirs et aux autres activités axées sur la survie. (Ce concept plus ancien et moins utile du moi comprend en partie tant le faux moi que le Moi véritable.) Cependant, le moi observateur, une partie de ce que nous sommes vraiment, observe autant le faux moi que le Moi véritable. Nous pouvons même dire qu'il nous observe en train de l'observer. Il *est* notre conscience, il est au cœur des expériences de l'Enfant en soi. En conséquence, il n'est pas possible de l'observer. Il transcende nos cinq sens, notre moi codépendant et toutes nos autres composantes, inférieures mais malgré tout nécessaires.

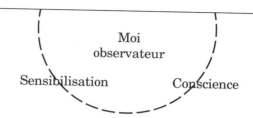

Aspects du moi
Pensée, planification, résolution, inquiétude
Émotion, sentiment, affect
Action, comportement, fonctionnement
Désir, souhait, fantasme

Schéma 6. Relations entre le Moi observateur et le moi objectal (compilé à partir de Deikman, 1982)

Les enfants-adultes peuvent prendre leur moi observateur pour une sorte de mécanisme de défense auquel ils ont eu recours pour éviter leur Moi véritable et tous ses sentiments. Il peut s'agir d'un faux moi observateur, étant donné que sa conscience est nébuleuse. Il n'est axé sur aucune convergence et il insensibilise. Il dénie et déforme notre Enfant intérieur et il porte souvent des jugements catégoriques. À l'opposé, le Moi véritable observateur est doté d'une conscience plus claire, il observe avec plus d'acuité et est plus porté à accepter les choses. Voici certaines différences qui les distinguent.

Quelques différences entre le Moi véritable observateur et le faux moi observateur

	Moi véritable observateur	Faux moi observateur
• **Conscience**	• Plus clair	• Nébuleux
• **Axe de convergence**	• Observe	• Éloigne et insensibilise
• **Sentiments**	• Observe avec acuité	• Dénie
• **Attitude**	• Accepte	• Juge catégoriquement

À mesure que s'élargit la sphère de la conscience, nous prenons conscience du rôle que nous jouons dans le drame qui se joue à l'échelle cosmique. En assistant à la représentation de notre mélodrame personnel, nous nous rendons compte que notre Moi véritable observateur est cette part de nous-même qui, lorsque nous réalisons que nous progressons réellement, peut prendre du recul et observer la suite des événements, grâce au pouvoir de notre imagination. Ce faisant, nous mettons en scène ce puissant moyen de défense qu'est l'humour, grâce auquel nous pouvons rire de nous-même et du sérieux que nous affichons devant ces événements.

Deikman (1982) écrit : « Le moi observateur n'appartient pas au monde objectal formé par nos pensées et notre perception sensorielle, parce qu'il n'a aucune limite, alors que tout le reste est limité. Ainsi la conscience de tous les jours contient un élément transcendant dont nous sommes rarement témoin, car cet élément est le cœur même de notre expérience. L'épithète « transcendant » est justifiée ici car, si la conscience subjective (le moi observateur) ne peut être observée et qu'elle demeure à jamais distincte du contenu de la conscience, il est plus que probable qu'elle participe à un ordre des choses différent de tout le reste. Sa nature intrinsèquement différente s'impose à l'évidence lorsque nous nous rendons compte que le moi observateur est dénué de traits caractéristiques; le monde ne peut pas le modifier, pas plus qu'un miroir ne peut être modifié par l'objet qui s'y reflète. »

À mesure que le moi observateur devient plus important, le moi inférieur ou objectal a tendance à s'estomper. L'identification primaire au moi inférieur est souvent associée à la souffrance et à la maladie. Toutefois, la consolidation d'un ego fort et souple, qui participe au rétablissement de l'Enfant en soi, est habituellement nécessaire avant que nous puissions procéder à la transition vers le moi observateur pour une période durable.

Atteindre la sérénité

À mesure que nous devenons plus familier avec le moi observateur et la puissance de rétablissement de la spiritualité, nous pouvons commencer à élaborer une voie capable de nous mener à la spiritualité, à la paix intérieure et au bonheur. J'ai élaboré la description suivante qui est une synthèse d'un texte tiré de *Alcoholism and Spirituality*.

Quelques voies menant à la sérénité

1. Nous ignorons notre destinée, nous sommes limité (humilité) : nous pouvons étudier les lois universelles, les définir de manière approximative et capituler devant notre carence de connaissances définitives. En raison de ces limites, les sages ont élaboré au cours des siècles les descriptions suivantes :

2. La Puissance supérieure est présente en chacun de nous, et chacun de nous se trouve au sein de la Puissance supérieure.

3. Nous pouvons considérer notre réalité comme une hiérarchie de niveaux de sensibilisation, de conscience ou d'être.

4. Notre chemin nous conduit Chez nous (nous *sommes* ce Chez nous, déjà et à jamais). Le Chez nous sur cette terre comprend tous les niveaux de notre conscience, vécus de notre propre et unique façon.

5. Chemin faisant, nous rencontrerons des obstacles (mélodrames, drames cosmiques). Ces conflits ou tensions créatrices nous sont utiles d'une certaine façon, probablement pour retourner Chez nous.

6. Un choix s'offre à nous. Nous pouvons utiliser notre corps, notre ego, notre esprit et nos relations sur cette terre pour renforcer notre séparation et notre souffrance. Ou nous pouvons les utiliser comme véhicule de notre âme, de notre esprit ou de notre Moi supérieur pour retourner Chez nous, et célébrer ce retour.

7. La Puissance supérieure (Chez nous) est l'amour (l'amour est peut-être la manière la plus utile pour connaître la Puissance supérieure).

8. Nous pouvons éliminer nos blocages afin d'atteindre notre Puissance supérieure en expérimentant (incluant en vivant le moment présent), en nous souvenant, en pardonnant et en capitulant (ces cinq réalisations peuvent être perçues comme une seule). Cette réalisation peut être facilitée par des pratiques spirituelles régulières.

9. La séparation, la souffrance et le mal sont l'incapacité de réaliser l'amour et sont finalement des illusions. Ce sont aussi des manifestations de notre quête d'amour, d'entièreté et aussi de notre recherche de ce Chez nous. Ainsi le mal ou la noirceur sont en dernier lieu au service de la lumière.

10. Nous écrivons notre propre histoire par nos pensées et nos actions. Au cours de notre vie, les pensées et les sentiments qui meublent notre esprit et notre cœur seront transformés en expériences. Ce que nous donnons, nous l'obtenons. À l'intérieur comme à l'extérieur.

11. La vie est un processus, une force, un flux qui nous rend vivant. Nous ne vivons pas la vie. Lorsque nous nous abandonnons à elle, c'est-à-dire lorsque nous sommes responsable de notre participation à cette vie, nous devenons cocréateur. Nous pouvons alors nous libérer de la souffrance née de notre résistance au flux de l'existence.

12. La paix intérieure ou la sérénité naît de la connaissance, de la pratique et de l'intériorisation des éléments précités. En dernier lieu, nous découvrons que nous sommes déjà la sérénité et le Chez nous.

Quelques sources : Huxley (La philosophie éternelle), *Jésus-Christ, Tao, Muktananda,* A course in Miracles, *Fox, Wilber, Lazaris, Schuan, et plusieurs autres sages et penseurs.*

Certains de ces principes sont illustrés par l'histoire de James, 42 ans, qui a grandi dans une famille minée par l'alcoolisme; son père était l'alcoolique actif, et sa mère tenait le rôle de la codépendante qui apportait l'apaisement. James ne montrait aucun signe d'alcoolisme à l'âge adulte, mais il devenait peu à peu conscient de sa confusion et de sa souffrance démesurées. Il finit par assister aux réunions Al-Anon et plus tard aux rencontres d'entraide EADA, et ce, pendant six années, et cela lui apporta un certain soulagement. Dans les paragraphes qui suivent, il parle de l'importante contribution de la spiritualité dans sa recouvrance.

« J'ai participé à un grand nombre de rencontres Al-Anon et EADA ces dernières années, en général une fois ou deux par semaine. Je voulais vraiment aller mieux, mais je ne semblais pas y parvenir, bien que quelque chose me poussait à continuer ces rencontres. J'ai toujours cru qu'il me fallait être fort, ce qui équivalait à mes yeux à être indépendant. Cela voulait dire de ne pas trop parler. Je pensais pouvoir me rétablir sans l'aide de quiconque. Dans mon esprit, la confiance était un synonyme de faiblesse, de dépendance, et je voyais tout cela comme une sorte de maladie. Je considérais les gens faibles et dépendants comme des personnes malades. Bien entendu, je me sentais meilleur et plus sain que tous les autres. En y songeant maintenant, je crois qu'il s'agissait d'un nécessaire mécanisme de défense qui me permettait de continuer à assister aux rencontres sans être trop submergé par mes sentiments cachés et par les changements requis pour ma recouvrance.

« À cette époque, au cours de ces rencontres, je fis la connaissance d'une femme très arrogante et très malheureuse. Elle était si odieuse envers moi que je tentais d'éviter les rencontres auxquelles elle participait. Je croyais que sa situation était sans espoir et que la mienne valait certes mieux. Puis j'ai constaté un changement chez elle. Elle perdit son arrogance et devint plus amicale à mon endroit et envers les autres. Elle semblait heureuse. Je n'avais aucun plaisir à admettre la chose, d'autant que l'heureux changement survenait chez quelqu'un que j'étais loin d'admirer, mais je lui enviais ce changement positif. J'aurais voulu que ça m'arrive à moi. Mais voilà qu'elle parlait *maintenant* de sa Puissance supérieure. J'avais toujours eu de la difficulté à comprendre ce que c'était, même si j'avais reçu une éducation très religieuse.

« Alors, j'ai commencé à réfléchir sur ce qui avait pu survenir en elle et à la manière dont je pouvais atteindre cette paix ou ce bonheur. Cela commença à occuper une grande partie de mes réflexions et de mes sentiments. J'avais vécu pendant quarante années dans le malheur et dans la confusion. Je me suis mis à lire des ouvrages spirituels et à prier. J'avais bien sûr essayé de prier depuis ma tendre enfance, mais maintenant je le faisais différemment. Peut-être étais-je plus sincère et plus humble. Puis, quelques mois plus tard, j'ai vécu une sorte de transformation qui m'a envahi pendant environ deux semaines. Alors mon attitude a changé, et je me suis libéré du ressentiment que j'entretenais à l'égard de mon père et des autres. (J'avais bien sûr accompli un grand travail concernant ma colère, d'autres sentiments, et d'autres questions fondamentales.) J'ai commencé à vraiment croire en une Puissance supérieure, ce à quoi je n'étais jamais parvenu. J'ai d'abord replacé la santé dans la notion du bonheur, puis replacé le bonheur dans ce besoin que nous avons des autres, de la confiance que nous plaçons en eux et à un projet spirituel. Cette mise en perspective a fait toute la différence. »

Le témoignage de James illustre plusieurs des principes qui permettent d'accéder à la sérénité (voir la liste plus haut). En premier lieu, James a connu les conflits et les luttes (n° 5). Il a utilisé cette lutte dans une relation désagréable avec une femme qu'il détestait et cela est devenu le véhicule de son évolution spirituelle (n° 6). Il était conscient de son conflit et de sa douleur et il a commencé à utiliser la prière comme pratique spirituelle (n° 8). Il en vint à demander ce qu'il voulait, cette fois avec sincérité et humilité (n° 10), et il s'en est remis au processus de sa vie (n° 11). Enfin, il a trouvé ce qu'il cherchait à l'intérieur de lui-même et non pas ailleurs (n° 12).

Les voies traditionnelles menant à l'atteinte de la sérénité, de la paix intérieure ou du bonheur reposent soit sur la recherche du plaisir, soit sur le fait d'éviter la douleur, ou les deux. Dans cette approche qui pourrait porter le nom de *quête*, les manières de chercher le bonheur peuvent varier entre la recherche hédoniste, la concentration sur les autres (qui peut entraîner la codépendance) ou la pratique de la bonté comme vertu, en attendant d'être récompensé au paradis. L'approche qui consiste à *éviter* la douleur nous amène à ignorer la souffrance, à nous en détacher et à nous tenir éloigné de toute situation porteuse de conflits potentiels. On peut se demander si l'une ou l'autre de ces voies nous a déjà conduit à une paix durable, au bonheur, ou à la sérénité. En général, nous répondons à cette question par la négative.

Nous avons le choix de réagir en éprouvant du ressentiment par rapport à notre incapacité d'être heureux et en projetant notre douleur sur les autres. Ou alors nous pouvons nous mettre à *observer* le processus dans son ensemble et commencer à voir l'autocontraction de notre moi codépendant lorsque nous sommes malheureux. Ce faisant, nous pouvons nous rendre compte que le bonheur n'est pas une chose à laquelle nous *parvenons*. Le bonheur, la paix intérieure et la sérénité sont plutôt notre *état naturel*. Derrière tout ce que nous *ajoutons* à nos sentiments et à notre expérience, derrière l'autocontraction se trouve la sérénité même. Pour atteindre la sérénité, nous n'avons pas besoin de faire quelque chose, et même nous ne pouvons rien faire. Il ne s'agit pas de collectionner les bons points à son bulletin, de posséder trois Rolls-Royces, d'amasser des millions à la banque ou de faire un grand mariage. Il n'existe pas de méthode pour atteindre le bonheur, pas plus qu'il n'existe de façon de le mériter. Il nous appartient de manière *intrinsèque* depuis le début et pour toujours (Da Free John, 1985).

Les enfants-adultes perturbés peuvent trouver difficile d'accepter cette idée du bonheur intrinsèque. Je peux les comprendre. Mais, à mesure que nous rétablissons notre Enfant intérieur, nous nous rendons compte que le bonheur nous habite depuis toujours et pour toujours, et nous acceptons de mieux en mieux cette notion. La lecture d'ouvrages spirituels et une pratique spirituelle quotidienne, comme la méditation ou la prière, m'ont grandement aidé à prendre conscience de ma sérénité.

Cette notion de spiritualité peut susciter le scepticisme chez certains lecteurs et entretenir la confusion chez d'autres. Certains peuvent ne pas y croire du tout et penser que je suis tombé sur la tête. Au contraire, plusieurs y trouveront du réconfort et d'autres pourront découvrir dans ces propos plusieurs éléments qui leur seront utiles. Quelle que soit votre façon de réagir à cet ouvrage, je vous invite à vous fier à vos réactions et à votre instinct. Réfléchissez-y, parlez-en lorsque vous jugerez le moment opportun. Utilisez ce qui vous semble valable et laissez tomber le reste. Cette notion de spiritualité m'a été d'un grand secours et j'ai pu constater ses effets bienfaisants chez des centaines d'autres personnes lors du travail de rétablissement de leur Enfant intérieur.

Annexe

Un mot sur les méthodes de recouvrance

Beaucoup de cliniciens travaillant auprès d'enfants-adultes de parents alcooliques ou de familles perturbées ou dysfonctionnelles estiment que la *thérapie de groupe* constitue un *traitement de choix* pour entreprendre le travail de recouvrance. Je crois que cela est juste lorsque cette thérapie est intégrée à un *programme de recouvrance complète* qui inclut les démarches suivantes :

- traiter toute accoutumance active, compulsion ou attachement (par exemple l'alcoolisme actif, les excès alimentaires, etc.);

- participer aux rencontres d'un groupe d'entraide, trouver un parrain et suivre les Douze Étapes ou une autre méthode de recouvrance similaire;

- se renseigner sur notre état et sur les techniques de recouvrance;

- suivre un traitement en clinique externe, bref et intensif, selon ce que nous souhaitons et selon ce qui nous est recommandé;

- suivre une psychothérapie individuelle, s'il y a lieu.

Je crois qu'un programme complet de recouvrance continue sur les plans holistique, physique, mental, émotionnel et spirituel doit tenir compte de toutes ces considérations. Voici *quelques avantages* de ce *traitement de choix*, qu'est la thérapie de groupe.

Certains avantages de la thérapie de groupe pour les enfants-adultes

1. L'individu dispose de plusieurs thérapeutes plutôt que d'un seul (je recommande de désigner deux chefs de groupe, et que chaque groupe compte entre sept et dix membres, selon la régularité de l'assiduité des membres de ce groupe).

2. Le groupe recrée plusieurs aspects de la vie familiale et offre donc un véhicule permettant de franchir à nouveau les différentes étapes, comme les liens émotionnels, les conflits et les luttes (le transfert, c'est-à-dire la projection) associés à la famille de chaque participant.

3. Plusieurs stades de recouvrance sont présentés en modèle à chacun. Il est particulièrement motivant de voir d'autres personnes se joindre au groupe, et apporter des changements définitifs et positifs lors de certains tournants de leur vie pour le rétablissement de leur Enfant intérieur.

4. Grâce à des chefs de groupe compétents et bien formés, le groupe est en mesure de travailler sur des questions existentielles précises qui touchent toutes les facettes de la recouvrance : physique, mental, émotionnel et spirituel.

5. La thérapie de groupe comporte des avantages bien connus, notamment de pouvoir susciter une iden-

tification, une validation, une rétroaction et une
confrontation appropriées, ainsi que le soutien de
camarades, et beaucoup d'autres facteurs et dynamiques inhérents au travail en groupe.

Dans un tel programme, de trois à cinq années de
travail et d'investissement personnels sont nécessaires
afin de développer suffisamment d'habiletés visant à surmonter et à remplacer le conditionnement négatif, la position de victime, les compulsions de répétition, et ainsi
opérer le rétablissement de l'Enfant en soi.

Le rétablissement de notre Enfant intérieur n'est pas
un processus intellectuel ou rationnel, pas plus qu'il n'est
facile. C'est un processus d'expérimentation qui englobe
l'enthousiasme, le découragement, la douleur et la joie,
sur fond de croissance personnelle. Cette recouvrance
demande beaucoup de courage. Même si les mots seuls
ne suffisent pas à l'expliquer, j'ai commencé à définir ce
processus de rétablissement de l'Enfant en soi.

Références bibliographiques

A Course in Miracles, Foundation for Inner Peace, Tiburon, Calif., 1976.

Ackerman, R. J. *Children of Alcoholics : A Guidebook for Educators, Therapists and Parents* (2e éd.). Learning Publications, Holmes Beach, Fla, 1983.

Ackerman, R. J. *Growing in the Shadow*, Health Communications, Pompano Beach, Fla, 1986.

Adult Children of Alcoholics (ACA — Central Service Board) Box 3216, Los Angeles, Calif., 90505.

Al-Anon Family Groups, P.O. Box 182, Madison Square Station, N.Y. 10159.

American Psychiatric Association DSM-III, *Diagnostic and Statistical Manual of Mental Disorders*, 3e éd., Washington, DC, 1980.

Armstrong T. *The Radiant Child*, Quest, Wheaton, Ill., 1985.

Beattie, M. *Codependent No More*, Hazelden, Center City, Minnesota, 1987. *Vaincre la codépendance*, Sciences et Culture, Montréal, 1992.

Black, C. *It Will Never Happen To Me*. Medical Administration, Colorado, 1980. Nouvelle édition Hazelden, Minnesota, 2002.

Black, C. *Talk on Adult Children of Alcoholics*, Gambrills, Maryland, 1984.

Booz, Allan & Hamilton, Inc., *An Assessment of the Needs and Resources for the Children of Alcoholics Parents*, NIAAA Contract Report, 1974.

Bowlby, J. *Loss*, Basic Books, N.Y., 1980.

Bowlby, J. « On knowing what you are not supposed to know and feeling what you are not supposed to feel » *J. Canadian Psychiatric Assoc.*, 1979.

Bowden, J.D. & Gravitz, H.L. *Genesis*, Health Communications, Pompano Beach, Fla, 1987.

Briggs, D.C. *Your Child's Self-Esteem : Step-by-step Guidelines to Raising Responsible, Productive, Happy Children*, Doubleday Dolphin Books, Garden City, N.Y., 1970.

Briggs, D.C. *Embracing Life : Growing Through Love and Loss*, Doubleday, Garden City, N.Y., 1985.

Brooks, C. *The Secret Everyone Knows*, Kroc Foundation, San Diego, Calif., 1981.

Brown, S. *Presentation at Second National Conference on Children of Alcoholics*, Washington, DC, 26 février 1986.

Campbell, J. *The Hero With a Thousand Faces*, Univ. Press, Princeton, 1949.

Cermak, T. L. *A Primer for Adult Children of Alcoholics.* Health Communications, Pompano Beach, Fla, 1985.

Cermak, T. L. Brown, S. « Interactional Group Gherapy with the Adult Children of Alcoholics » *International Journal Group Psychotherapy,* 32 : 375-389, 1982.

Cermak, T. L. *Diagnosing & Treating Co-Dependance : A Guide for Professionals who Work with Chemical Dependents, Their Spouses, and Children,* Johnson Institute, Minneapolis, Minn., 1986.

Clarke, J. L. *Self-Esteem : A Family Affair.* Harper/Winston, Minneapolis, Minn., 1978.

Colgrave, M. Bloomfield, H. McWilliams, *How to Survive the Loss of a Love,* Bantam Books, N.Y., 1976.

Cork, M. *The Forgotten Children,* Addiction Research Foundation, Toronto, 1969.

Deikman, A. J. *The Observing Self,* Beacon Press, Boston, Mass., 1982.

Deutsch, C. *Broken Bottles, Broken Dreams : Understanding and Helping the Children of Alcoholics,* Teachers College Press, N.Y., 1982.

Dossey, L. *Beyond Illness : Discovering the Experience of Health,* Shambhala, Boulder, Colo., 1985.

Dreitlein, R. *Feelings in Recovery,* Workshop, Rutgers Summer School on Alcohol Studies, New Brunswick, N.J., 1984.

Eisenberg, L. *Normal Child Development.* In Freedman, A. M.; Kaplan, H. I. (eds) : *The Child : His Psychological and Cultural Development,* vol. 2, *The Major Psychological Disorders and Their Development,* Atheneum, N.Y., 1972.

Epstein, G. « The Image in Medicine : Notes of a Clinician » *Advances.* vol. 3, hiver 1986.

Faukhauser, J. *From a Chicken to an Eagle : What Happens When you Change.* Coleman Graphics, Farmingdale, N.Y., 1984.

Ferguson, M. *The Aquarian Conspiracy : Personal and Social Transformation in the 1980's,* Tarcher, Los Angeles, Calif., 1980.

Finn, C. C. *Poem* previously unpublished by author, and published several times attributed to « Anonymous » by others. Written in Chicago, 1966. Publié ici par permission de l'auteur, communication personnelle, Fincastle, Va, mars 1986.

Fischer, B. *Workshop on Shame.* The Resource Group, Baltimore, Md, 1985.

Forward, S. Buck, C. *Betrayal of Innocence : Incest and its Devastation,* Penguin Books, N.Y., 1978.

Fossum, M. A. Mason, M. J. *Facing Shame : Families in Recovery,* WW Norton, N.Y., 1986.

Fox, E. *Reawakening the Power of your Wonder Child,* In Power Through Constructive Thinking, Harper & Row, N.Y., 1940.

Freud, A. *The Ego and the Mechanism of Defense,* édition révisée, International Universities Press, N.Y., 1966.

Gil, E. *Outgrowing the Pain. A Book for and about Adults Abused as Children.* Launch Press, Box 40174, San Francisco, Calif. 94140, 1984.

George, D. Richo, D. *Workshop on Child Within,* Santa Barbara, Calif., avril 1986.

Gravitz, H. L. Bowden, J. D. *Guide to Recovery : A Book for Adult Children of Alcoholics,* Learning Publications, Holmes Beach, Fla, 1985.

Grossman, W.L. « The Self as Fantasy : Fantasy as Theory » *J. American Psychoanalytical Assoc.,* 30 : 919-937, 1982.

Guntrip, H. *Psychoanalytical Theory, Therapy and the Self : A Basic Guide to the Human Personality,* In Freud, Erickson, Klein, Sullivan, Fairbairn, Hartman, Jacobsen and Winnicott, Basic Books, Harper Torchbooks, N.Y., 1973.

Hayward, J. Thomas, R. *Watching and Waiting,* Song by Moody Blues, Threshold Records.

Helmstetter, S. *What to Say When You Talk to Yourself,* Grindle Press, Scottsdale, Ariz., 1986.

Hillman, J. *Healing Fiction,* Station Hill, Barrytown, N.Y., 1983.

Hillman, J. « Abandoning the Child » In Loose Ends : Primary Papers in *Archtypal Psychology,* Spring Publications, Dallas, Tex., 1975.

Hoffman, B. *No One Is To Blame : Getting a Loving Divorce From Mon and Dad.* Science and Behavior Books, Palo Alto, Calif., 1979.

Horney, K. *The Holistic Approach (Horney),* Chap. 71., by Kelman, H. In *American Handbook of Psychiatry,* Basic Books, N.Y., 1959.

Jackson, M. *Self-Like Seminar,* Los Angeles, Calif., 1986.

Jacoby, M. *The Analytical Encounter : Transference and Human Relationship,* Inner City Books, Toronto, 1984.

James, M. Savary, L. *A New Self : Self Therapy with Transactional Analysis,* Addison-Wesley, Reading, Mass., 1977.

Jourard, S. M. *The Transparent Self,* Van Nostrand, N.Y., 1971.

Jung, C.G. Kerenyi, C. *Essays on A Science of Mythology ; The Myth of The Divine Child,* Billingen Series, Princeton, 1969.

Kagan, J. *The Nature of the Child,* Basic Books, N.Y., 1984.

Kanner, L. *History of Child Psychiatry.* In Freedman, A. M. and Kaplan, H. I. (eds.) *The Child : His Psychological and Cultural Development,* vol. 2, The Major Psychological Disorders and Their Development, Athaeneum, N.Y., 1972.

Kaufman, G. *Shame : The Power of Caring,* Schenkman, Cambridge, Mass., 1980.

Kohut, H. *The Analysis of the Self,* International University Press, N.Y., 1971.

Kritsberg, W. *The Adult Children of Alcoholics Syndrome : From Discovery to Recovery.* Health Communications, Pompano Beach, Fla, 1986.

Kurtz, E. *Not-God : A History of Alcoholism Anonymous,* Hazelden Educational Services, Center City, Minn., 1979.

Kurtz, E. *Shame and Guilt : Characteristics of the Dependency Cycle (an Historical Perspective for Professionals),* Hazelden, Center City, Minn., 1981.

Lazaris, *Series of Spiritual-Psychological Teachings,* Disponible chez Concept Synergy, 302 S. County Rd., Palm Beach, Fla 334-8.

Levin, P. *Cycles of Power : A Guidebook for the Seven Stages of Life,* Dissertation, 1980. Disponible chez Trans Publications, 1259 El Camino Real, Menlo Park, Calif. 94025.

Lindermann, E. « The Symptomatology and Management of Acute Grief » In *American J. of Psychiatry,* 101 : 141-148, 1944.

Masterson, J.F. *The Real Self : A Developmental Self and Objective Relations Approach.* Brunner/Mazel, N.Y., 1985.

Matthews-Simonton, S. In Simonton, Matthews-Simonton Creighton : *Getting Well Again,* Bantam Books, N.Y., 1978.

Middelton-Mrz, J. Dwinell, L. *After the Tears : Reclaiming the Personal Losses of Childhood*, Health Communications, Pompano Beach, Fla, 1986.

Miller, A. *The Drama of the Gifted Child.* Harper, N.Y., 1981 and 1983. *Le drame de l'enfant doué.* Presses Universitaires de France, Paris, 1983.

Miller, A. *For Your Own Good : Hidden Cruelty in Childrearing and the Roots of Violence.* Farrar, Strauss, Giroux, N.Y., 1983. *C'est pour ton bien.* Aubier, Paris, 1984.

Miller, A. *Picture of A Childhood.* Farrar, Strauss, Giroux, N.Y., 1986. *Images d'une enfance.* Aubier, Paris, 1987.

Miller, A. *Thou Shall Not Be Aware : Society's Betrayal of the Child*, Farrar, Straus, Giroux, N.Y., 1984.

Missildine, W.H. *Your Inner Child of the Past*, Pocket Books, N Y, 1963.

Moss, R. *How Shall I Live : Transforming Surgery or Any Health Crisis Into Greater Aliveness*, Celestial Arts, Berkeley, Calif., 1985.

National Association for Children of Alcoholics. 31706 Coast Highway, bureau 201, South Laguna, Calif., 1985.

Nelson, P. *Autobiography in Five Chapters.* In Nelson P. *There's a whole in My Sidewalk,* Popular Library, N.Y., 1977.

Pearce, J. C. *Magical Child : Rediscovering Nature's Plan for Our Children*, Bantam Books, N.Y., 1986.

Peck, M. S. *The Road Less Traveled : A New Psychology of Love*, Traditional Values and Spiritual Growth, Simon & Schuster, N.Y., 1978. *Le chemin le moins fréquenté*, J'ai Lu, Paris, 1990.

Rose, A. L. et *al. The Feel Wheel*, Center for Studies of the Person, LaJolla, Calif., 1972.

Samuel, W. « *The Child Within Us Lives!* » Mountain Brook Pub., Mountain Brook, Ala., 1989

Satir, V. *Peoplemaking.* Science & Behavior Books, Palo Alto, Calif., 1972.

Schaef, A.W. *Co-dependence : Misdiagnosed and Mistreated*, Harper/Winston, Minneapolis, Minn.1986.

Shatzman, M. *Soul Murder : Persecution in the Family*, N.Y., 1973.

Siegel, B. S. Siegel, B. *Love, Medicine and Miracles : Lessons Learned About Self-Healing from a Surgeon's Experience with Exceptional Patients*, Harper & Row, N.Y., 1986. *L'amour, la médecine et les miracles*, J'ai Lu, Paris, 2001.

Siegel, B. S. Siegel, B. *Spiritual Aspects of the Healing Arts*, In Kunz, D. (ed.) *Spiritual Aspect of the Healing Arts*, Quest. Wheaton, Ill., 1985.

Seixas, J. S. Youcha, G. *Children of Alcoholism : A Survivor's Manual*, Crown, N.Y., 1985.

Simos, B.G. *A Time to Grieve : Loss as a Universal Human Experience*, Family Services Association of America, N.Y., 1979.

Small, J. *Transformers : Therapists of the Future*, De Vorrs, Los Angeles, Calif., 1986.

Spitz, R. *Hospitalism in the Psychoanalytic Study of the Child*, vol. 1, International University Press, N.Y., 1945.

Steere, D. V. *Gleanings*, Upper Room, Nashville, Tenn., 1986.

Vaughan, F. *Awakening Intuition*, Anchor/Doubleday, N.Y., 1979.

Vaughan, F. *The Inward Arc : Healing & Wholeness in Psychotherapy and Spirituality*, Shambhala, Boston, Mass., 1985.

Viorst, J. *Necessary Losses : The Loves, Illusions, Dependencies and Impossible Expectations That All of Us Have to Give Up in Order to Grow*, Simon & Schuster, N.Y., 1986. *Les renoncements nécessaires*, Laffont, Paris, 1986.

Viscott, D. *The Language of Feelings*, Pocket Books, N.Y., 1976.

Ward, M. *The Brilliant Function of Pain*, Optimus Books, N.Y., 1977.

Wegscheider, S. *Another Chance : Hope and Health for the Alcoholic Family*, Science and Behavior Books, Palo Alto, Calif., 1981.

Wegscheider-Cruse, S. *Choice-Making for Co-Dependents, Adult Children and Spirituality Seekers*, Health Communications, Pompano Beach, Fla, 1985.

Weil, A. *The Natural Mind*, Houghton Mifflin, N.Y., 1972.

Wheelis, A. *How People Change*, Harper/Colopron, N.Y., 1983.

Whitfield, C. L. « Alcoholism and Medical Education », *Maryland State Med. J.*, octobre 1980.

Whitfield, C. L. *Children of Alcoholics; Treatment Issue*, In Service for Children of Alcoholics, NIAAA Research Monograph 4, 1979.

Whitfield, C. L. « Co-Alcoholism : Recognizing a Treatable Illness », Family and Community Health, vol. 7, été 1984.

Whitfield, C. L. *Co-Dependence : Our Most Common Addiction*, Alcoholism Treatment Quarterly 6:1, 1989.

Whitfield, C. L. *A Gift to Myself : A Personal Workbook & Guide to Healing My Child Within*, Health Communications, Deerfield Beach, Fla, 1990.

Whitfield, C. L. « Alcoholism and Medical Education », *Maryland State Med. J.*, octobre 1980.

Wilber, K. *No Boundary*, Shambhala, Boston, Mass., 1979.

Wilber, K. *Eye to Eye : The Quest for a New Paradigm*, Anchor/Doubleday, Garden City, N.Y., 1983.

Williams, S. K. *The Pratice of Personal Transformation*, Journey Press, Berkeley, Calif., 1985.

Winnicott, D. W. *Collected Papers*, Basic Books, N.Y., 1958.

Woititz, J. G. *Struggle for Intimacy*, Health Communications, Pompano Beach, Fla, 1985.

Woititz, J. G. *Adult Children of Alcoholics*, Health Communications, Pompano Beach, Fla, 1983. *Enfants-adultes d'alcooliques*, Sciences et Culture, Montréal, 2002.

Vaincre la codépendance
Ce livre vous rend la liberté

Le *classique* incontestable des livres de croissance personnelle. Comment cesser de voler au secours des autres en leur sacrifiant votre propre épanouissement.

Un outil indispensable pour acquérir une compréhension de la codépendance, pour changer notre comportement et pour avoir une attitude nouvelle envers soi-même et envers les autres.

Plus de 3 millions d'exemplaires vendus

AUTEURE : MELODY BEATTIE
TRADUCTRICE : HÉLÈNE COLLON
FORMAT : 14 x 21,5 CM - 312 PAGES - ISBN : 2-89092-115-8

Savoir lâcher prise 2
366 nouvelles méditations quotidiennes

Les relations, surtout les relations amoureuses, nécessitent notre attention, et qui peut nous guider mieux que Melody Beattie dans ces moments de questionnement?

Son style, direct comme toujours et dénué de sentimentalité, évoque les pensées et les sentiments répandus chez les femmes et les hommes en recouvrance, et indique la voie de la guérison et de l'espoir.

AUTEURE : MELODY BEATTIE
TRADUCTRICE SAVOIR LÂCHER PRISE 2 : CLAIRE LABERGE
FORMAT : 15 x 23 CM - 384 PAGES - ISBN : 2-89092-301-0
TRADUCTRICE SAVOIR LÂCHER PRISE : CLAUDE STEIN
FORMAT : 14 x 21,5 CM - 416 PAGES - ISBN : 2-89092-195-6

Enfants-adultes d'alcooliques
Pour les enfants de familles dysfonctionnelles rendus à l'âge adulte

Grandir au sein d'une famille dysfonctionnelle laisse un héritage qui peut nous suivre jusque dans notre vie adulte, apportant des conséquences sur notre vie. Plutôt que de continuer à laisser notre enfance malsaine contrôler nos actions et nos réactions, l'auteure nous montre comment reconnaître, changer et prévenir l'influence nuisible que notre passé peut avoir sur le présent et le futur.

AUTEURE : JANET GERINGER WOITITZ
ÉDITION 2002 REVUE ET AUGMENTÉE
FORMAT : 14 x 21,5 CM - 224 PAGES - ISBN : 2-89092-296-0

Tirer profit de son passé familial
Croissance personnelle pour l'adulte qui a vécu dans une famille alcoolique ou dysfonctionnelle

Cet ouvrage met bien en évidence la dynamique des familles dysfonctionnelles et l'impact d'y avoir grandi.
Il pourrait vous être utile si vous en avez assez de souffrir. Il est un instrument concret et puissant dans une démarche visant à faire le ménage des comportements et attitudes néfastes dans nos vies.

AUTEUR : EARNIE LARSEN
TRADUCTRICES : SUZIE ROCHEFORT ET DENISE TURCOTTE
FORMAT : 15 x 23 CM - 160 PAGES - ISBN : 2-89092-219-7

Les Douze Étapes enrichies par des versets bibliques

Cet ouvrage est une puissante ressource pour fusionner la sagesse pratique des Douze Étapes avec les vérités spirituelles de la Bible. Il offre un moyen efficace pour choisir Jésus Christ comme Puissance supérieure. Les auteurs savent comment Dieu peut utiliser l'essence spirituelle des Douze Étapes pour transformer des vies meurtries, guérir des émotions douloureuses et rétablir des relations brisées.

AUTEUR : COLLECTIF - AMIS EN RECOUVRANCE
TRADUCTEUR : ADÉLARD FAUBERT, F.S.G.
FORMAT : 15 X 23 CM - 272 PAGES - ISBN : 2-89092-202-2

Douze Étapes vers le bonheur
Les Douze Étapes révisées et enrichies

L'auteur décortique le langage de chaque Étape, nous expliquant les résistances que nous pouvons opposer et les erreurs que nous pouvons commettre.
Un guide utile pour quiconque est en voie de recouvrance, afin de l'aider à trouver les outils pour travailler son programme... et pour tous ceux qui aspirent seulement à une vie plus saine, dans un monde de plus en plus chaotique.

AUTEUR : JOE KLAAS
TRADUCTRICE : CLAUDE HERDHUIN
FORMAT : 14 X 21,5 CM - 176 PAGES - ISBN : 2-89092-166-2